KB152113

제3판

가정에서 할 수 있는

인지재활 프로젝트

The **Cognitive Rehabilitation Project** at Home

김미현 · 한민희 · 백남종 지음

군자출판사

가정에서 할 수 있는

인지재활 프로젝트 제3판

첫째판 1쇄 발행 | 2009년 5월 16일
둘째판 1쇄 발행 | 2013년 1월 21일
둘째판 2쇄 발행 | 2017년 7월 20일
둘째판 3쇄 발행 | 2019년 8월 28일
셋째판 1쇄 인쇄 | 2022년 1월 10일
셋째판 1쇄 발행 | 2022년 1월 20일

지 은 이 김미현, 한민희, 백남종
발 행 인 장주연
출판기획 이성재
책임편집 김수진
표지디자인 김재욱
편집디자인 주은미
일러스트 이다솜
발 행 처 군자출판사(주)
등록 제4-139호(1991. 6. 24)
본사 (10881) **파주출판단지** 경기도 파주시 회동길 338(서패동 474-1)
전화 (031) 943-1888 팩스 (031) 955-9545
홈페이지 | www.koonja.co.kr

ISBN 979-11-5955-823-8

정가 25,000원

가정에서 할 수 있는

인지재활 프로젝트

The **Cognitive Rehabilitation Project** at Home

인사말

‘가정에서 할 수 있는 인지재활 프로젝트’가 2009년 5월 첫 선을 보인지 어느덧 3판을 출간하게 되었습니다. 그동안 여러 환자분들과 작업치료실로부터 호응을 받았으며 많은 칭찬과 격려의 말씀도 들었습니다.

이미 컴퓨터로 하는 여러 인지재활치료 프로그램들이 널리 쓰이고 있고, 수년 내에 디지털치료제나 원격 재활의 활성화로 많은 인지프로그램들이 가정에서 컴퓨터로 시행될 것으로 예측되지만 여전히 가정에서 가족과 함께하는 종이로 하는 인지 향상 훈련은 남아있을 것이고 유효합니다.

특히 학문적으로도 이러한 워크북을 이용한 인지재활 치료가 환자분들의 인지기능 향상에 도움을 준다는 증거들이 많이 확립되었습니다.

인지재활치료는 방법도 중요하지만 많은 시간과 노력이 필요하다는 점에서 이 워크북이 치료실에서의 짧은 치료에 대한 아쉬움을 극복하고 집에서 충분한 시간을 들여 가족과 함께 편안한 환경에서 인지훈련을 할 수 있도록 많은 도움을 줄 것이라 생각합니다.

아직도 아쉽고 미흡한 점이 있습니다만, 앞으로도 환자분들에게 최선의 인지 재활 치료를 제공하기 위한 저희들의 노력은 계속될 것입니다. 이 워크북이 인지 장애를 갖고 계신 환자분들과 보호자에게 많은 도움이 되었으면 하는 바람이며, 치유와 호전의 희망이 전해지기를 기원합니다.

끝으로 이번 워크북이 나올 때까지 정성을 다한 작업치료실의 김미현, 한민희 선생님께 진심으로 감사를 드리며 군자출판사에게도 감사를 드립니다.

분당서울대학교병원 재활의학과

교수 **백 남 종**

머리말

'가정에서 할 수 있는 인지재활 프로젝트' 1판과 2판을 열심히 풀어주시고, 활용해주신 분들께 깊은 감사의 인사를 드립니다.

인지기능이란 지식과 정보를 효율적으로 받아들여서 저장하고 조작하여, 그 결과 어떤 행동이나 생각을 유발하는 모든 과정 즉, 우리가 살아가면서 생각하고, 기억하고, 말하고, 판단하고, 실행하는 능력을 말합니다. 이러한 인지기능이 저하되면 일상생활 수행 능력이 저하되고, 여러 가지 상황에 효과적으로 대처하지 못해 의존적인 상태가 됩니다. 이처럼 인지기능은 눈에 보이지 않지만 정상적으로 살아가기 위한 필수적인 능력이라고 할 수 있습니다.

인지 능력을 재학습하는 과정은 어렵고 힘들지만 생활 속에서 인지의 강점과 약점을 파악하고, 환자가 성취하고자 하는 것이 무엇인지 고려하여 목표를 세운다면 인지기능 향상 과정에 참여하고자 하는 동기부여가 될 수 있을 것이라고 생각합니다.

이번 3판에서는 워크북의 활용도를 높이고자 새롭게 구성하였습니다.

1) 21일 동안 하루에 일정한 양을 규칙적으로 수행할 수 있도록 구성하였습니다.
2) 1단계, 2단계, 3단계로 나뉘어져 점진적으로 과제의 난이도를 높여 단계적으로 진행할 수 있습니다.
3) 세부적으로 지남력, 주의집중력, 기억력, 언어와 계산 능력 내용에 자신에게 의미있는 인지과제가 될 수 있는 기회를 제공하고자 하였습니다.

'가정에서 할 수 있는 인지재활 프로젝트' 3판을 통해 인지기능 향상의 기쁨을 느낄 수 있기를 간절히 기원합니다.

분당서울대학교병원 재활의학과

작업치료사 **김미현, 한민희**

목차

1 단계

학습을 마친 후, 해당 쪽수와 날짜를 적고
확인칸에 성취 수준을 적어보세요.

	쪽수	날짜	확인칸
1일차			
2일차			
3일차			
4일차			
5일차			
6일차			
7일차			

목차

2 단계

학습을 마친 후, 해당 쪽수와 날짜를 적고
확인칸에 성취 수준을 적어보세요.

	쪽수	날짜	확인칸
8일차			
9일차			
10일차			
11일차			
12일차			
13일차			
14일차			

목차

3 단계

학습을 마친 후, 해당 쪽수와 날짜를 적고
확인칸에 성취 수준을 적어보세요.

	쪽수	날짜	확인칸
15일차			
16일차			
17일차			
18일차			
19일차			
20일차			
21일차			

인지기능이란?

다음의 질문을 읽고, 생각해보세요.

1. 최근 사건에 대한 기억은 얼마나 좋습니까?
2. 시간, 날짜, 장소에 대해 얼마나 잘 알고 계십니까?
3. 얼마나 잘 집중할 수 있습니까?
4. 나의 생각을 다른 사람에게 얼마나 잘 표현할 수 있습니까?
5. 독립적으로 일상생활을 수행하기 위한 능력은 얼마나 좋습니까?
6. 내가 원하는 것을 얼마나 잘 할 수 있습니까?

- [x] **인지기능이란** 지식과 정보를 효율적으로 받아들여서 저장하고 조작하여, 이 결과로 어떤 행동이나 생각을 유발하는 모든 과정을 말합니다.

- [x] **인지기능은** 기억력과 학습능력, 주의집중력, 판단력, 지남력, 언어능력, 실행력 등으로 나눌 수 있습니다.

나의 목표

'인지재활 프로젝트'에 참여함으로써 이루고 싶은 목표를 적어보세요.

목표 기록 방법

무엇을 할 수 있게 되고, 얼마나 잘하게 되는지 문장으로 적어보세요.

_________ 년 _________ 월 _________ 일

이 름 :

가치 있는 목표를 향한 움직임을 개시하는 순간 당신의 성공은 시작된다.

– 찰스 칼슨 –

가정에서 할 수 있는 인지재활 프로젝트

1 일차

1. 오늘 날짜를 적어보세요.

년	월	일	요일

2. 오늘 날씨를 체크(○)해 보세요.

3. 오늘 느낀 감정을 모두 체크(✓)해 보세요.

☐ 즐겁다	☐ 당황하다	☐ 흥미롭다
☐ 걱정되다	☐ 설레다	☐ 불안하다
☐ 편안하다	☐ 심란하다	☐ 고맙다
☐ 답답하다	☐ 보람있다	☐ 아쉽다

지남력

현재 날짜 인식하기

이번 달 달력을 만들어 보세요.

(1) 해당 연도와 월을 쓰고, 날짜를 적어주세요.

_________ 년 _________ 월

일	월	화	수	목	금	토

(2) 오늘 날짜를 표시하고, 오늘 있었던 일을 적어주세요.

숫자 찾기

『 1 』과 똑같은 숫자에 동그라미를 한 후,
몇 개인지 세어보세요.

1	7	2	1	6
4	1	9	3	1
4	7	1	8	4
3	4	5	6	1

__________ 개

글자 찾기

『 빨 』과 똑같은 글자에 동그라미를 한 후,
몇 개인지 세어보세요.

주	파	빨	초	빨
초	보	주	빨	노
빨	남	노	보	빨
남	빨	빨	초	파

________ 개

숫자 쓰기

다음의 숫자판을 보고 색칠된 위치에 해당하는 숫자를 적어보세요.

예시

1	5	9
7	8	3
4	2	6

[숫자판]

1	5	9
7	8	3
4	2	6

[적용]

①

1		
7	8	3
		6

②

1	5	9
7		
4		

기억력

숫자/위치 기억하기

다음의 숫자판을 기억한 후, 종이로 가린 상태에서 같은 위치에 숫자를 적으세요.

1

	3

→

2

2	
	7

→

3

1	
4	8

→

그림 기억하기

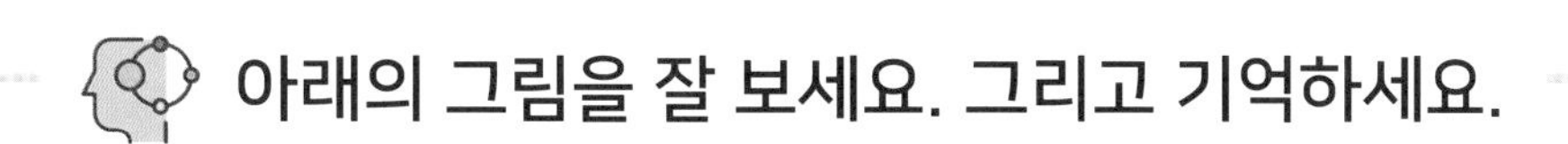
아래의 그림을 잘 보세요. 그리고 기억하세요.

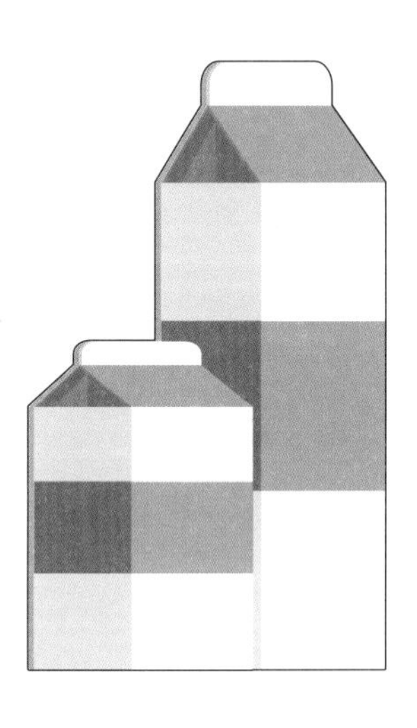

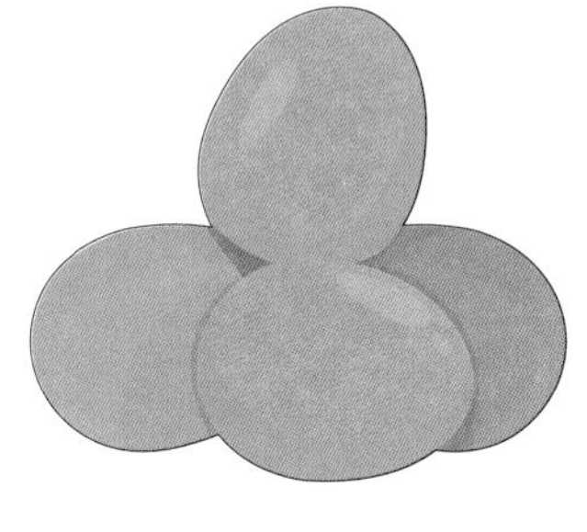

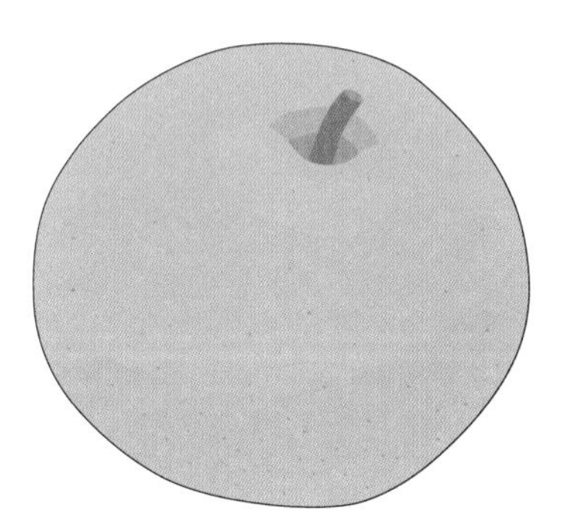

기억한 그림을 다음 장에서 찾아보세요.

그림 기억하기

앞장에서 기억한 그림을 찾아보세요.

똑같이 색칠하기

왼쪽 그림과 똑같이 오른쪽 빈칸에 색칠하세요.

1

2

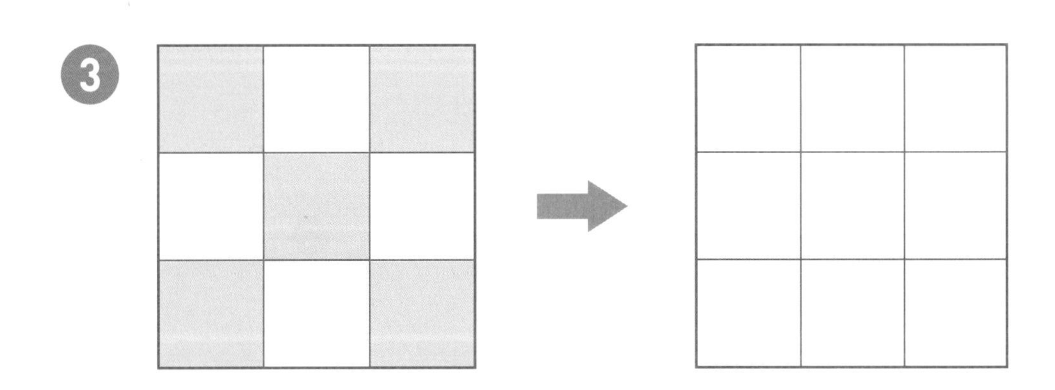

똑같이 그리기

왼쪽 부분과 똑같이 오른쪽에 나머지 부분을 그려 보세요.

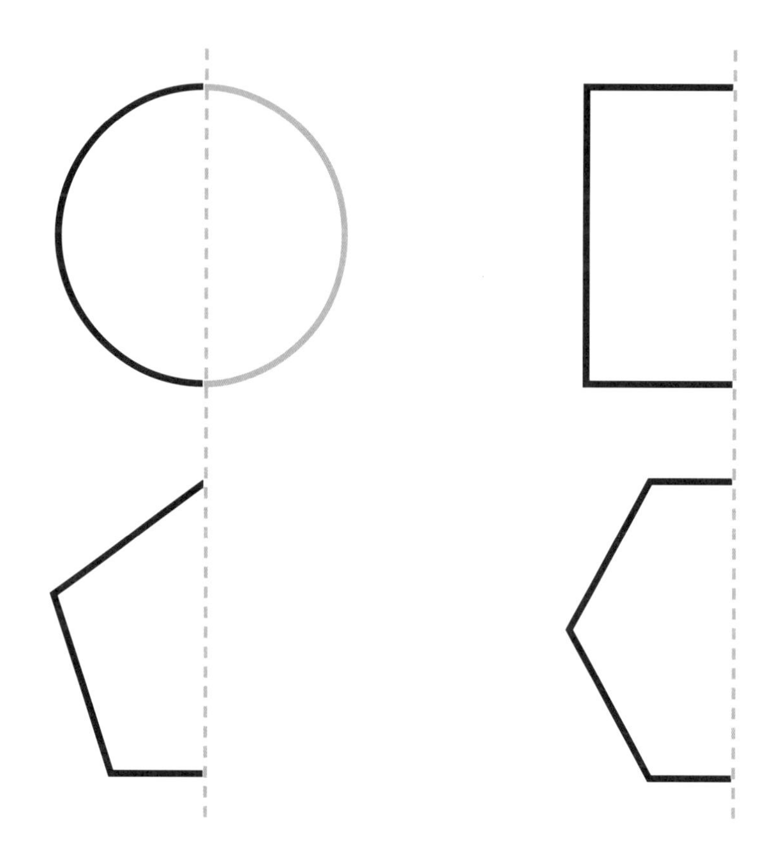

앞장에서 기억한 그림의 이름을 적어보세요.

❶	❷	❸

단어 기억하기

왼쪽의 단어를 기억한 후,
종이로 가린 상태에서 오른쪽에 적어보세요.

1

양말

주전자

2

빵

모자

3

포크

비행기

단어 기억하기

왼쪽의 단어를 기억한 후,
종이로 가린 상태에서 오른쪽에 적어보세요.

1

양말
주전자
가방

______
______
______

2

칫솔
빵
모자

______
______
______

3

포크
우산
비행기

______
______
______

초성 퀴즈

앞에서 기억한 단어를 떠올리며
다음 초성에 알맞은 단어를 적어보세요.

1. ㄱ ㅂ → ____________
2. ㅁ ㅈ → ____________
3. ㅂ ㅎ ㄱ → ____________
4. ㅇ ㅁ → ____________
5. ㅈ ㅈ ㅈ → ____________
6. ㅊ ㅅ → ____________
7. ㅍ ㅋ → ____________

끝말잇기

 끝말잇기를 해보세요.

우유 → 유리병 →

→ → →

→ → →

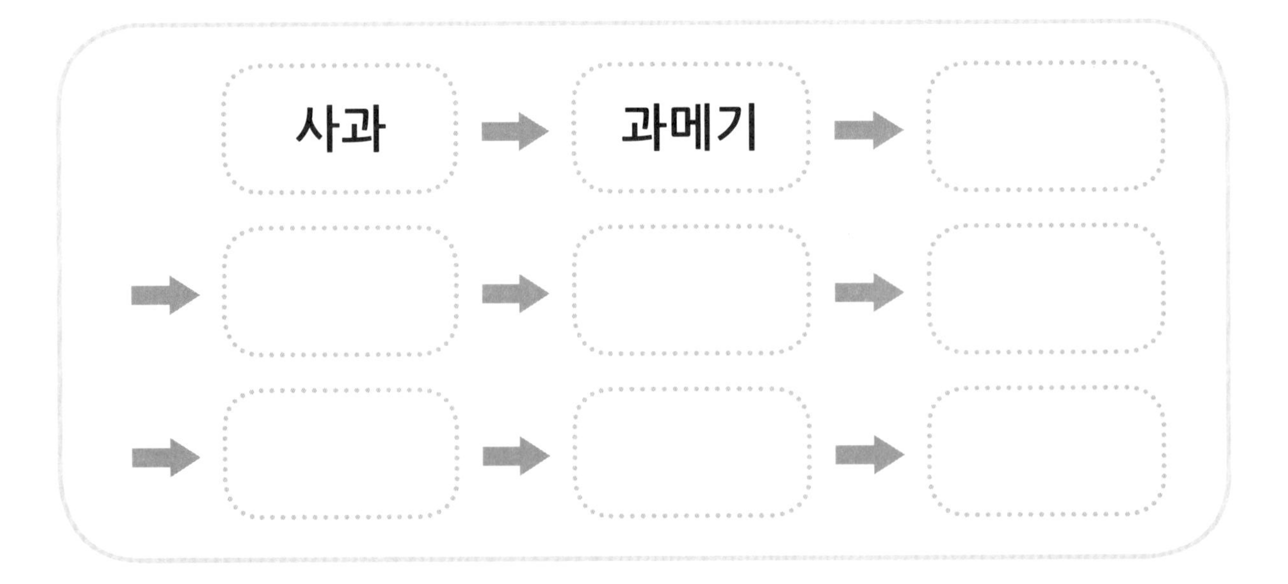

자기평가

1. 과제의 난이도가 어떠하였나요? (O) 표시해주세요.

쉬움 ⋘ ⋙ 어려움

0 1 2 3 4 5

2. 과제를 수행하는 데, 병 전/후 차이가 있으신가요? (O) 표시해주세요.

차이가 없음 ⋘ ⋙ 차이가 큼

0% 25% 50% 75% 100%

3. 과제를 하면서 좋았던 점은 무엇인가요?

4. 과제를 하면서 아쉬웠던 점은 무엇인가요?

추억의 노랫말

노래 가사를 기억하는 것은
기억력 훈련에 도움이 될 수 있습니다.

노래 제목: 과수원길

(작사: 김공선, 작곡: 박화목)

동구 밖 과수원길 아카시아꽃이 활짝 폈네
하이얀 꽃 이파리 눈송이처럼 날리네
향긋한 꽃 냄새가 실바람 타고 솔솔
둘이서 말이 없네 얼굴 마주 보며 쌩긋
아카시아꽃 하얗게 핀 먼 옛날의 과수원길

(1) 노래 가사 중 가장 마음에 드는 노랫말을 적어주세요.

(2) 그 노랫말을 선택한 이유와 노랫말에 대한 느낌을 표현해 보세요.

1. 오늘 날짜를 적어보세요.

년 월 일 요일

2. 오늘 날씨를 체크(○)해 보세요.

3. 오늘 느낀 감정을 모두 체크(✓)해 보세요.

- ☐ 즐겁다
- ☐ 당황하다
- ☐ 흥미롭다
- ☐ 걱정되다
- ☐ 설레다
- ☐ 불안하다
- ☐ 편안하다
- ☐ 심란하다
- ☐ 고맙다
- ☐ 답답하다
- ☐ 보람있다
- ☐ 아쉽다

생일 인식하기

 자신의 생일이 있는 달의 달력을 만들어 보세요.

(1) 해당 월을 쓰고, 날짜를 적어주세요.

__________ 월

일	월	화	수	목	금	토

(2) 생일을 표시하고, 받고 싶은 선물을 적어보세요.

숫자 찾기

『 7 』과 똑같은 숫자에 동그라미를 한 후,
몇 개인지 세어보세요.

5	7	3	8	7
2	1	7	4	9
7	5	2	8	7
7	4	6	7	1
2	3	7	9	2

__________ 개

집중력

글자 찾기

『 토 』와 똑같은 글자에 동그라미를 한 후,
몇 개인지 세어보세요.

월	토	화	화	월
금	수	수	토	목
토	토	일	목	월
화	금	토	금	일
토	수	목	일	토

__________ 개

숫자 쓰기

다음의 숫자판을 보고 색칠된 위치에 해당하는 숫자를 적어보세요.

예시

1	5	9
7	8	3
4	2	6

[숫자판]

1	5	9
7	8	3
4	2	6

[적용]

1

	5	
7		3
4	2	

2

1	5	
	8	
	2	6

기억력

도형/위치 기억하기

다음의 도형판을 기억한 후, 종이로 가린 상태에서 같은 위치에 도형을 그리세요.

1

	▲
■	

→

2

▲	
●	■

→

3

▲	▲
■	●

→

그림 기억하기

아래의 그림을 잘 보세요. 그리고 기억하세요.

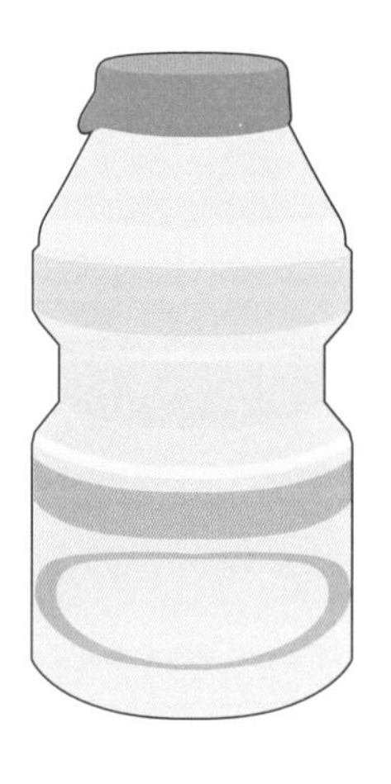

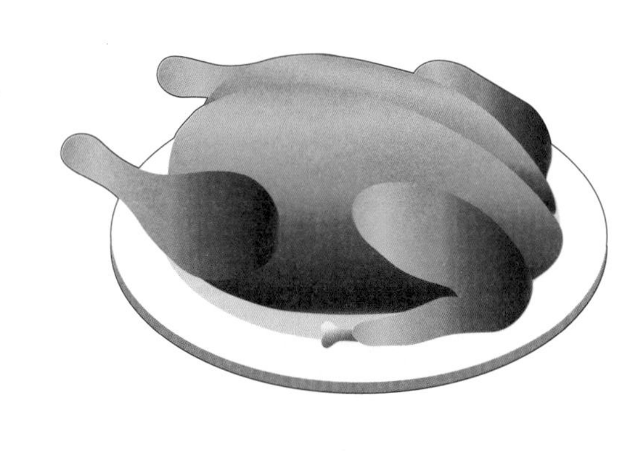

기억한 그림을 다음 장에서 찾아보세요.

그림 기억하기

앞 장에서 기억한 그림을 찾아보세요.

똑같이 색칠하기

왼쪽 그림과 똑같이 오른쪽 빈칸에 색칠하세요.

1

2

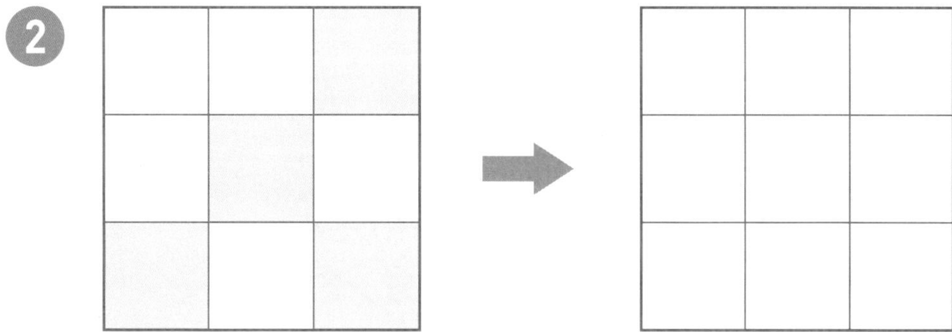

3

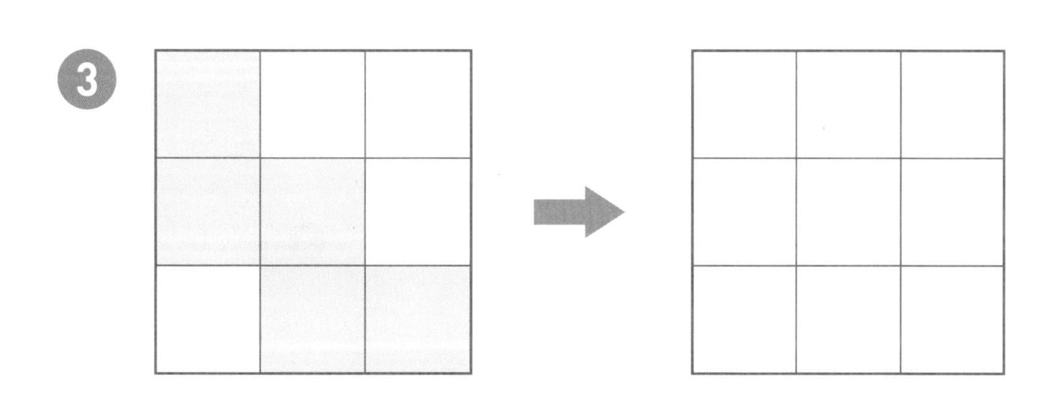

집중력

똑같이 그리기

왼쪽 부분과 똑같이 오른쪽에 나머지 부분을 그려 보세요.

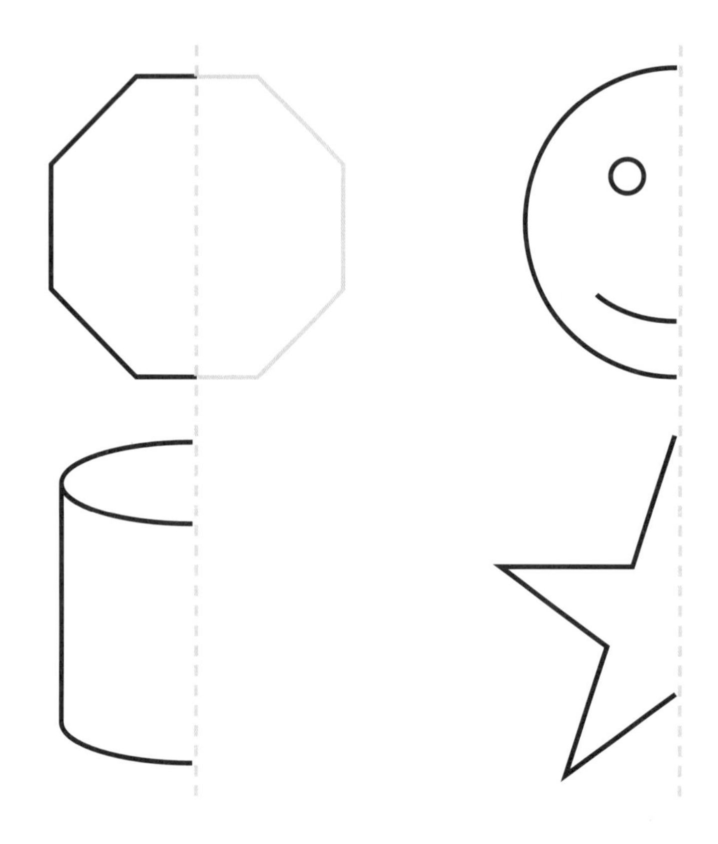

앞장에서 기억한 그림의 이름을 적어보세요.

❶	❷	❸

단어 기억하기

왼쪽의 단어를 기억한 후,
종이로 가린 상태에서 오른쪽에 적어보세요.

1
자전거
깻잎

2
달력
기린

3
콜라
전화기

단어 기억하기

왼쪽의 단어를 기억한 후,
종이로 가린 상태에서 오른쪽에 적어보세요.

1

건포도	________
자전거	________
깻잎	________

2

달력	________
물병	________
기린	________

3

콜라	________
전화기	________
지우개	________

초성 퀴즈

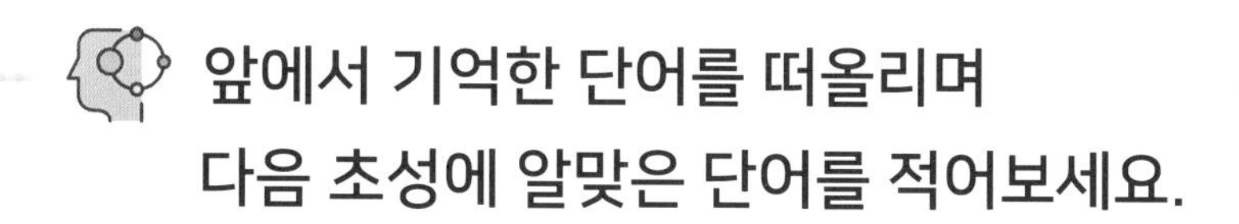

앞에서 기억한 단어를 떠올리며
다음 초성에 알맞은 단어를 적어보세요.

1. ㄱ ㅍ ㄷ ➡ ____________
2. ㄷ ㄹ ➡ ____________
3. ㅁ ㅂ ➡ ____________
4. ㅈ ㅎ ㄱ ➡ ____________
5. ㅋ ㄹ ➡ ____________
6. ㅈ ㅇ ㄱ ➡ ____________
7. ㄲ ㅇ ➡ ____________

실행기능

끝말잇기

 끝말잇기를 해보세요.

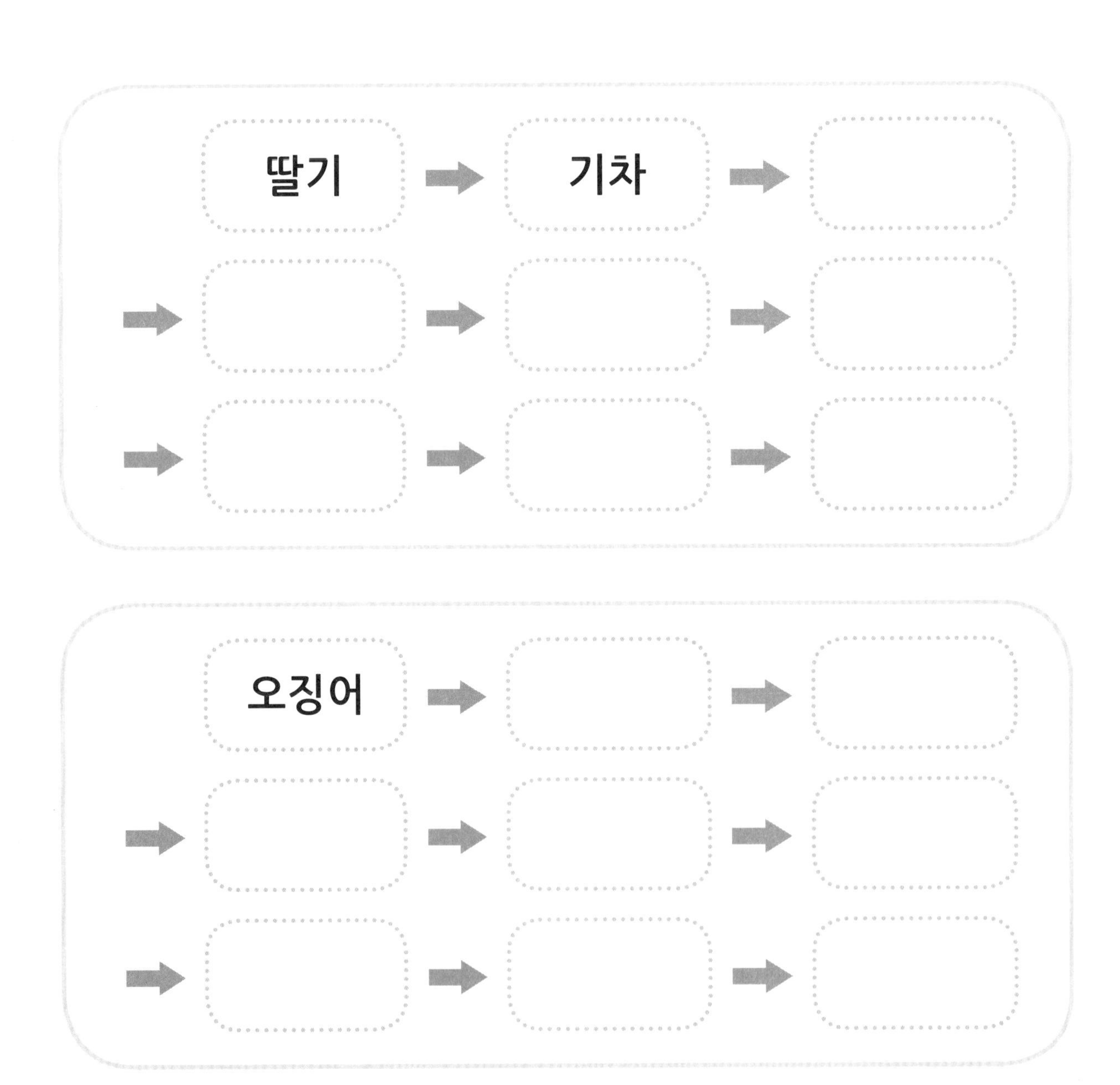

자기평가

1. 과제의 난이도가 어떠하였나요? (O) 표시해주세요.

2. 과제를 수행하는 데, 병 전/후 차이가 있으신가요? (O) 표시해주세요.

차이가 없음				차이가 큼
0%	25%	50%	75%	100%

3. 과제를 하면서 좋았던 점은 무엇인가요?

4. 과제를 하면서 아쉬웠던 점은 무엇인가요?

추억의 노랫말

노래 가사를 기억하는 것은
기억력 훈련에 도움이 될 수 있습니다.

노래 제목: 봄이 오면

(작사: 김동환, 김동진)
- 김동환(金東煥)의 시에 김동진(金東振)이 1931년에 곡을 붙인 가곡.

봄이 오면 산에 들에 진달래 피네

진달래 피는 곳에 내 마음도 피어

건너마을 젊은 처자 꽃따러 오거든

꽃만 말고 이 마음도 함께 따가주

(1) 노래 가사 중 가장 마음에 드는 노랫말을 적어주세요.

(2) 그 노랫말을 선택한 이유와 노랫말에 대한 느낌을 표현해 보세요.

3 일차

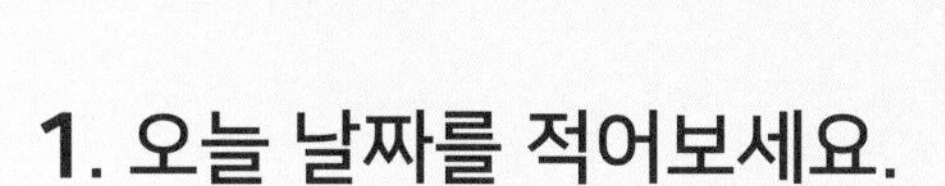

1. 오늘 날짜를 적어보세요.

년 월 일 요일

2. 오늘 날씨를 체크(○)해 보세요.

맑음

구름조금

구름많음

흐림

흐리고 비

흐리고 눈

비온후 갬

소나기

천둥 번개

바람 혹은 황사

3. 오늘 느낀 감정을 모두 체크(✓)해 보세요.

- ☐ 즐겁다
- ☐ 당황하다
- ☐ 흥미롭다
- ☐ 걱정되다
- ☐ 설레다
- ☐ 불안하다
- ☐ 편안하다
- ☐ 심란하다
- ☐ 고맙다
- ☐ 답답하다
- ☐ 보람있다
- ☐ 아쉽다

지남력

국경일 인식하기

● 국경일이란 나라의 경사스러운 날을 기념하기 위하여 법률로써 지정한 날입니다.

다음 제시한 국경일을 달력에서 찾아 해당하는 날짜와 요일을 적어보세요.

명칭	날짜	요일
3.1절		
제헌절		
광복절		
개천절		
한글날		

공휴일 인식하기

● 공휴일이란 공적으로 쉬기로 정해진 날입니다.

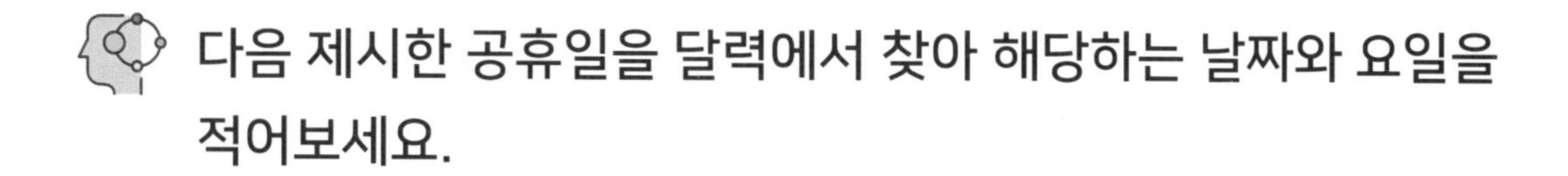

다음 제시한 공휴일을 달력에서 찾아 해당하는 날짜와 요일을 적어보세요.

명칭	날짜	요일
설날		
부처님 오신날		
어린이날		
현충일		
추석		
크리스마스		

지남력

국경일 / 공휴일 인식하기

다음 설명을 읽고, 해당하는 국경일 / 공휴일을 보기에서 찾아 적어보세요.

보기

광복절, 설날, 추석, 어린이날, 개천절, 현충일, 삼일절

1. 새해 첫 날 :
2. 대한민국 정부의 수립을 기념하는 날 :
3. 농산물을 추수하고, 이것을 감사하는 날 :
4. 한국의 독립의사를 세계에 알렸던 날 :
5. 순국선열과 국군장병들의 충절을 추모하는 날 :
6. 어린이의 행복을 도모하기 위해 만든 날 :
7. 고조선을 건국하였음을 기리는 날 :

숫자 찾기

『 2 』와 똑같은 숫자에 동그라미를 한 후,
몇 개인지 세어보세요.

0	2	5	2	2
2	4	2	8	9
2	1	3	2	5
6	2	3	7	2
1	8	2	2	5
5	2	9	7	1

_____________ 개

집중력

글자 찾기

『 해 』와 똑같은 글자에 동그라미를 한 후,
몇 개인지 세어보세요.

눈	해	날	해	물
해	별	비	해	불
낮	밤	해	눈	해
별	해	날	비	물
해	불	낮	해	밤
눈	비	해	별	해

_____________ 개

숫자 쓰기

다음의 숫자판을 보고 색칠된 위치에 해당하는 숫자를 적어보세요.

예시

3	6	9
4	1	7
2	8	5

[숫자판]

	6	
	1	
	8	5

[적용]

1

2

기억력

숫자/위치 기억하기

다음의 숫자판을 기억한 후, 종이로 가린 상태에서 같은 위치에 숫자를 적으세요.

❶

2		
		6

→

❷

	3	
5		9

→

❸

1		8
	2	5

→

그림 기억하기

아래의 그림을 잘 보세요. 그리고 기억하세요.

기억한 그림을 다음 장에서 찾아보세요.

그림 기억하기

앞장에서 기억한 그림을 찾아보세요.

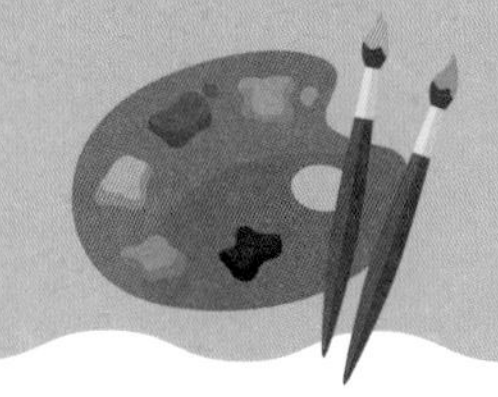

똑같이 색칠하기

다음 보기 그림을 보고 최대한 똑같이 색칠해 보세요.

보기

집중력

똑같이 색칠하기

다음 보기 그림을 보고 최대한 똑같이 색칠해 보세요.

보기

↓

똑같이 그리기

왼쪽 부분과 똑같이 오른쪽에 나머지 부분을 그려 보세요.

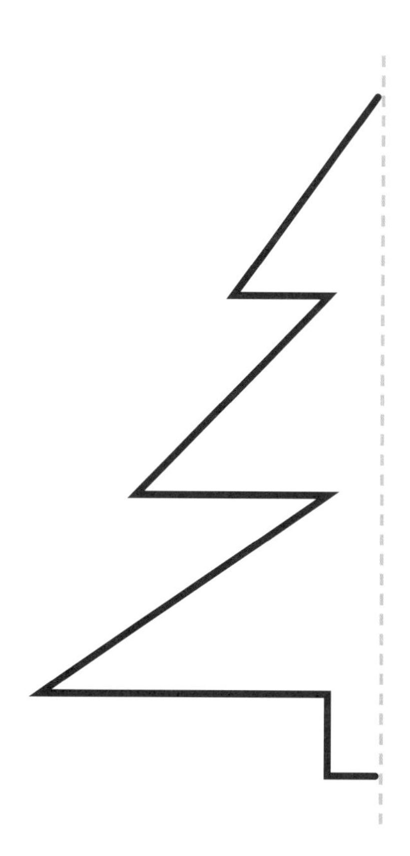

앞장에서 기억한 그림의 이름을 적어보세요.

단어 기억하기

왼쪽의 단어를 기억한 후,
종이로 가린 상태에서 오른쪽에 적어보세요.

1
버섯 ______________
소파 ______________

2
손목시계 ______________
눈사람 ______________

3
수박 ______________
오디오 ______________

단어 기억하기

왼쪽의 단어를 기억한 후,
종이로 가린 상태에서 오른쪽에 적어보세요.

1
버섯
면도기
소파

2
손목시계
눈사람
오리

3
경찰서
수박
오디오

실행기능

초성 퀴즈

앞에서 기억한 단어를 떠올리며
다음 초성에 알맞은 단어를 적어보세요.

1. ㄱ ㅊ ㅅ → ____________
2. ㄴ ㅅ ㄹ → ____________
3. ㅁ ㄷ ㄱ → ____________
4. ㅂ ㅅ → ____________
5. ㅅ ㅂ → ____________
6. ㅇ ㄹ → ____________
7. ㅅ ㅁ ㅅ ㄱ → ____________

끝말잇기

 끝말잇기를 해보세요.

오디오 → →
→ → →
→ → →

경찰서 → →
→ → →
→ → →

자기평가

1. 과제의 난이도가 어떠하였나요? (O) 표시해주세요.

2. 과제를 수행하는 데, 병 전/후 차이가 있으신가요? (O) 표시해주세요.

차이가 없음				차이가 큼
0%	25%	50%	75%	100%

3. 과제를 하면서 좋았던 점은 무엇인가요?

4. 과제를 하면서 아쉬웠던 점은 무엇인가요?

1. 오늘 날짜를 적어보세요.

년 월 일 요일

2. 오늘 날씨를 체크(○)해 보세요.

3. 오늘 느낀 감정을 모두 체크(✓)해 보세요.

□ 즐겁다	□ 당황하다	□ 흥미롭다
□ 걱정되다	□ 설레다	□ 불안하다
□ 편안하다	□ 심란하다	□ 고맙다
□ 답답하다	□ 보람있다	□ 아쉽다

지남력

계절 인식하기

지금은 어느 계절인가요?

(1) 현재 계절의 특징을 적어주세요.

(2) 현재 계절에 어울리는 단어를 표시하세요.

눈싸움	수박	크리스마스	새싹
에어컨	썰매	장마	물놀이
꽃샘추위	냉이	천고마비	추수
단풍	벚꽃	국화	고드름

계절 인식하기

가장 좋아하는 계절은 언제 인가요?

(1) 좋아하는 계절의 제철음식을 적어보세요.

(2) 좋아하는 계절에 할 수 있는 활동을 모두 적어보세요.

숫자 찾기

『 3 』, 『 5 』와 똑같은 숫자에 동그라미를 한 후, 모두 몇 개인지 세어보세요.

2	3	0	1	5
5	7	3	8	0
6	4	5	3	9
8	3	5	2	1
4	7	8	0	3
1	6	5	4	2

____________ 개

글자 찾기

『 **밥** 』과 똑같은 글자에 동그라미를 한 후,
몇 개인지 세어보세요.

쌀	밥	벼	밥	겨
밥	빵	밥	콩	밀
꿀	무	팥	밥	밥
무	밥	팥	꿀	밥
쌀	벼	밥	겨	콩
밥	밥	빵	꿀	무

__________ 개

집중력

숫자 쓰기

다음의 숫자판을 보고 색칠된 위치에 해당하는 숫자를 적어보세요.

예시

3	6	9
4	1	7
2	8	5

[숫자판]

	6	
	1	
	8	5

[적용]

1

2

도형/위치 기억하기

다음의 도형판을 기억한 후, 종이로 가린 상태에서 같은 위치에 도형을 그리세요.

1

○	△	
	□	

→

2

□		♡
	○	

→

3

	△	○
♡	□	

→

기억력

그림 기억하기

아래의 그림을 잘 보세요. 그리고 기억하세요.

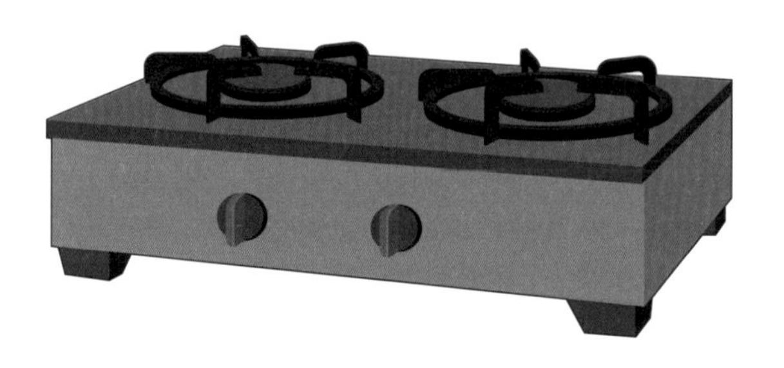

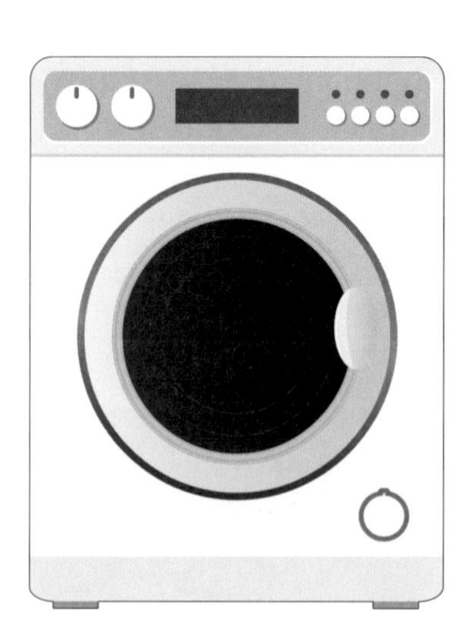

기억한 그림을 다음 장에서 찾아보세요.

그림 기억하기

앞장에서 기억한 그림을 찾아보세요.

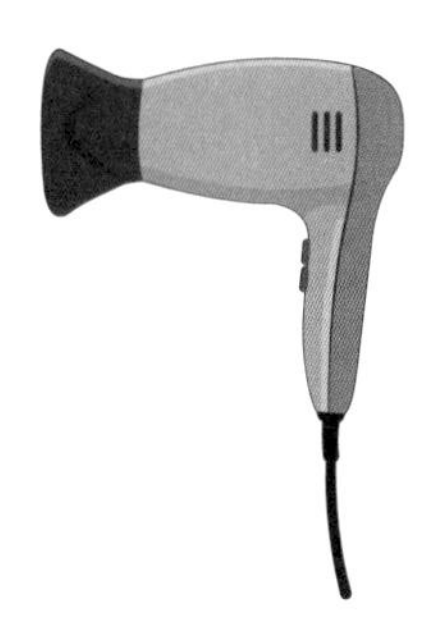

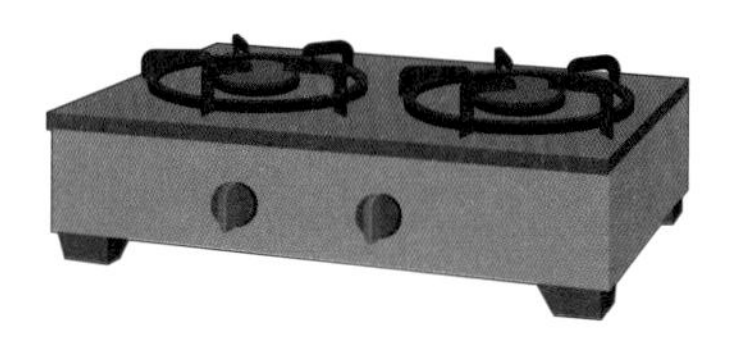

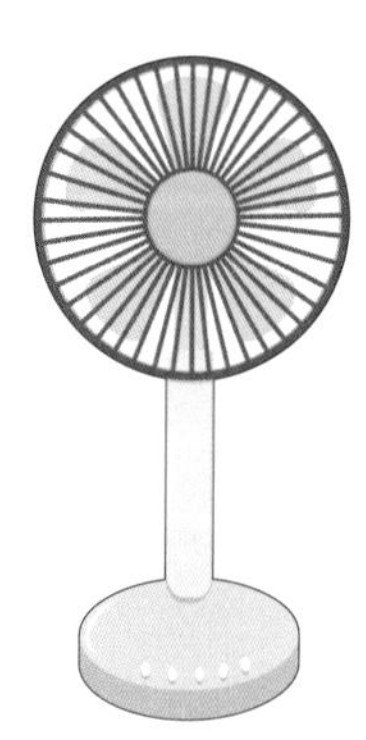

똑같이 색칠하기

다음 보기 그림을 보고 최대한 똑같이 색칠해 보세요.

보기

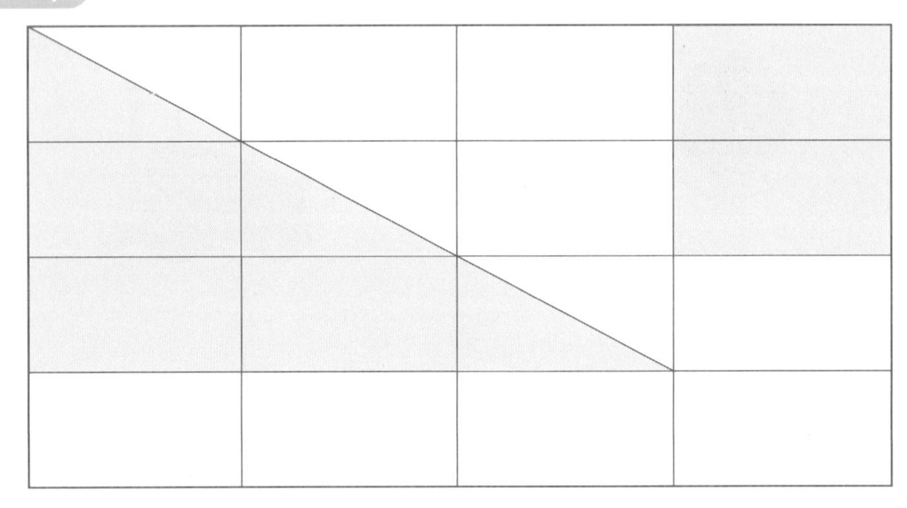

똑같이 색칠하기

 다음 보기 그림을 보고 최대한 똑같이 색칠해 보세요.

보기

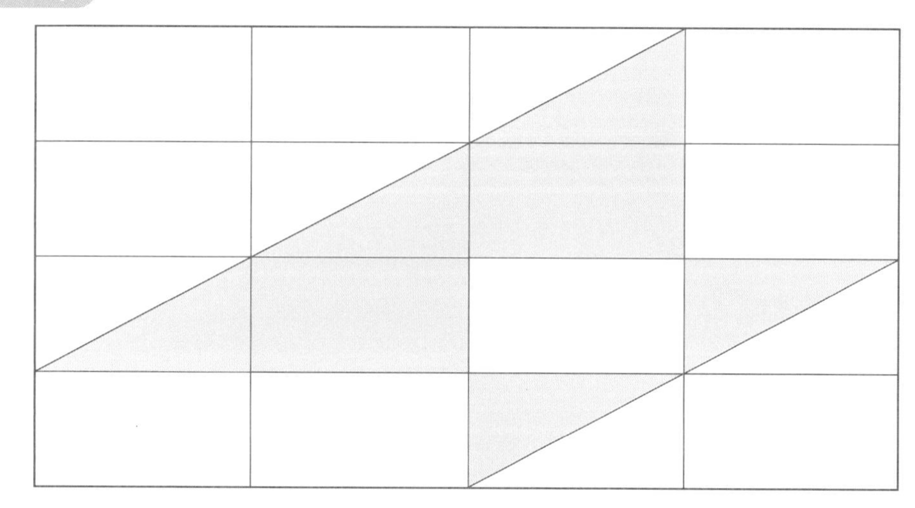

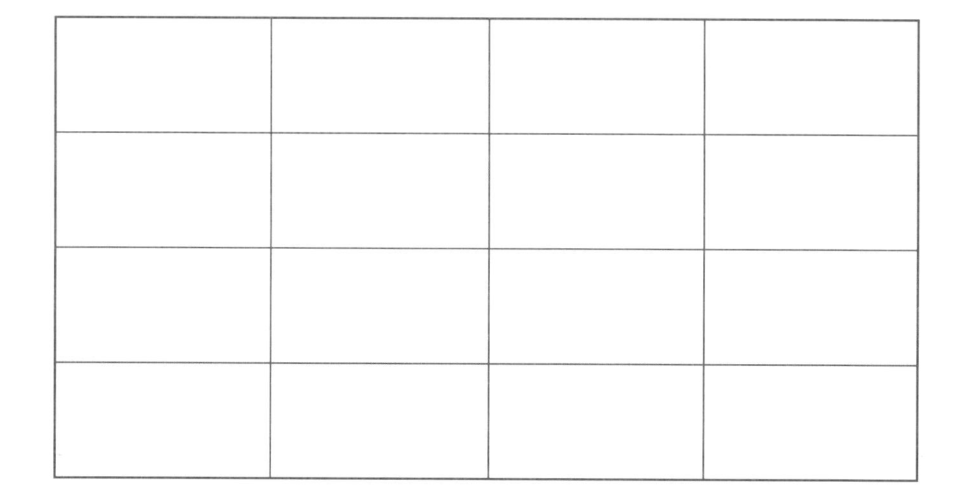

집중력

똑같이 그리기

왼쪽 부분과 똑같이 오른쪽에 나머지 부분을 그려 보세요.

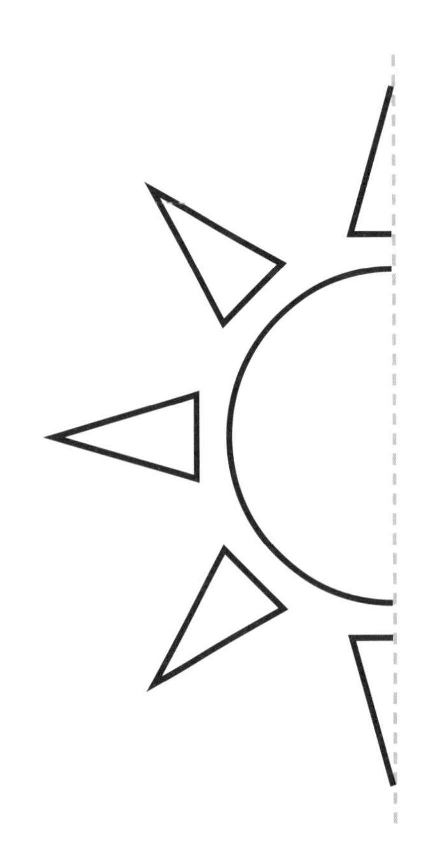

앞장에서 기억한 그림의 이름을 적어보세요.

단어 기억하기

왼쪽의 단어를 기억한 후,
종이로 가린 상태에서 오른쪽에 적어보세요.

1

마스크 ______________

골프 ______________

2

식탁 ______________

농구 ______________

3

스케이트 ______________

마이크 ______________

기억력

단어 기억하기

왼쪽의 단어를 기억한 후,
종이로 가린 상태에서 오른쪽에 적어보세요.

1
마스크
골프
롤케이크

2
식탁
붕어빵
농구

3
스케이트
마이크
호빵

초성 퀴즈

앞에서 기억한 단어를 떠올리며
다음 초성에 알맞은 단어를 적어보세요.

1. ㄱ ㅍ  ____________________

2. ㄴ ㄱ  ____________________

3. ㄹ ㅋ ㅇ ㅋ → ____________________

4. ㅁ ㅅ ㅋ  ____________________

5. ㅂ ㅇ ㅃ → ____________________

6. ㅅ ㅋ ㅇ ㅌ → ____________________

7. ㅅ ㅌ  ____________________

실행기능

끝말잇기

 끝말잇기를 해보세요.

냉장고 → →
→ → →
→ → →

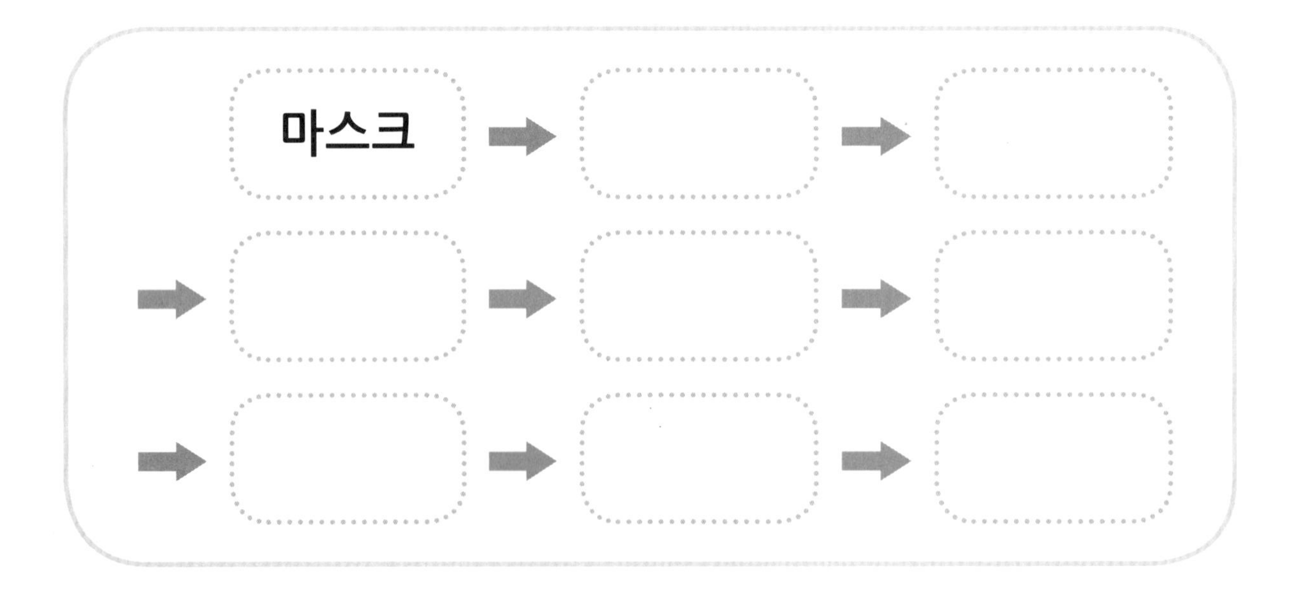

자기평가

1. 과제의 난이도가 어떠하였나요? (O) 표시해주세요.

쉬움					어려움
0	1	2	3	4	5

2. 과제를 수행하는 데, 병 전/후 차이가 있으신가요? (O) 표시해주세요.

차이가 없음				차이가 큼
0%	25%	50%	75%	100%

3. 과제를 하면서 좋았던 점은 무엇인가요?

4. 과제를 하면서 아쉬웠던 점은 무엇인가요?

추억의 노랫말

\# 노래 가사를 기억하는 것은
기억력 훈련에 도움이 될 수 있습니다.

노래 제목: 즐거운 나의 집

(작사: 미상, 작곡: 비숍)

즐거운 곳에서는 날 오라 하여도
내 쉴 곳은 작은 집 내 집뿐이리
내 나라 내 기쁨 길이 쉴 곳도
꽃 피고 새 우는 내 집뿐이리
오 사랑 나의 집 즐거운 나의 벗 내 집뿐이리

(1) 노래 가사 중 가장 마음에 드는 노랫말을 적어주세요.

(2) 그 노랫말을 선택한 이유와 노랫말에 대한 느낌을 표현해 보세요.

5 일차

1. 오늘 날짜를 적어보세요.

년 월 일 요일

2. 오늘 날씨를 체크(○)해 보세요.

맑음

구름조금

구름많음

흐림

흐리고 비

흐리고 눈

비온후 갬

소나기

천둥 번개

바람 혹은 황사

3. 오늘 느낀 감정을 모두 체크(✓)해 보세요.

☐ 즐겁다	☐ 당황하다	☐ 흥미롭다
☐ 걱정되다	☐ 설레다	☐ 불안하다
☐ 편안하다	☐ 심란하다	☐ 고맙다
☐ 답답하다	☐ 보람있다	☐ 아쉽다

지남력

시간 인식하기

지금 시간대는 언제에 가깝나요?

아침　　　점심　　　저녁

(1) 현재 시각을 적어보세요.

(2) 현재 시각을 가리키도록 시계바늘을 그려보세요.

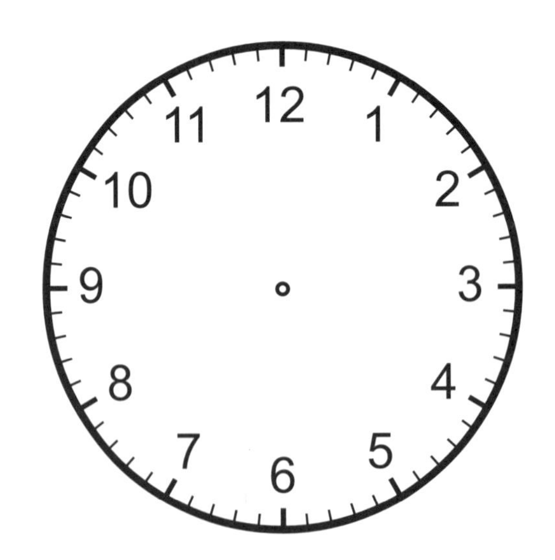

시간 인식하기

각 활동을 할 때의 시간을 적어보세요.

일과	시간
기상	
아침식사	
점심식사	
저녁식사	
취침	

(1) 아래에 제시된 시각을 가리키도록 시계바늘을 그려보세요.

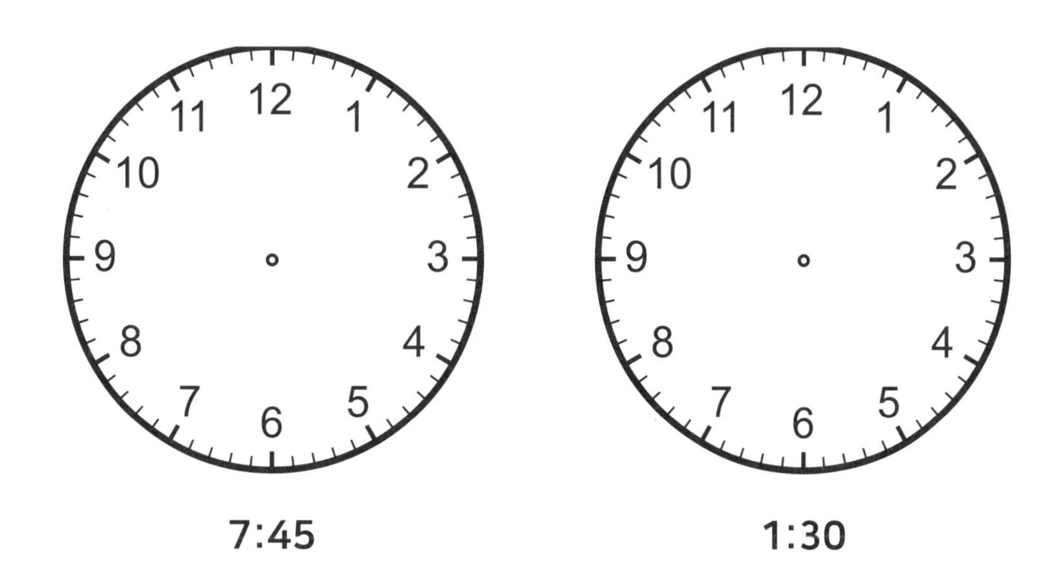

집중력

숫자 찾기

『 0 』, 『 6 』과 똑같은 숫자에 동그라미를 한 후, 모두 몇 개인지 세어보세요.

0	2	6	3	6	4
9	0	1	6	5	0
6	3	4	5	8	9
2	2	0	1	3	0
5	6	2	0	8	1
4	2	6	5	0	8

____________ 개

글자 찾기

『 봄 』과 똑같은 글자에 동그라미를 한 후,
몇 개인지 세어보세요.

싹	볕	봄	씨	봄	꽃
봄	봄	흙	봄	봄	땅
터	숲	봄	들	봄	돌
풀	씨	싹	빛	봄	꽃
흙	봄	땅	숲	터	들
봄	돌	풀	꽃	빛	봄

__________ 개

숫자 쓰기

 다음의 숫자판을 보고 색칠된 위치에 해당하는 숫자를 적어보세요.

숫자판

2	1	9	2
6	5	7	3
9	4	8	1
7	6	3	0

	1	9	
6	5	7	3
9		8	1
7	6		0

2	1		2
6	5	7	3
9		8	1
	6	3	

2	1		2
6		7	3
9	4	8	
	6	3	0

숫자/위치 기억하기

다음의 숫자판을 기억한 후, 종이로 가린 상태에서 같은 위치에 숫자를 적으세요.

①

	2	
3	7	
		5

→

②

5	3	
1	6	

→

③

		3
9		1
7		

→

가정에서 할 수 있는 인지재활 프로젝트

6 일차

1. 오늘 날짜를 적어보세요.

년	월	일	요일

2. 오늘 날씨를 체크(○)해 보세요.

맑음

구름조금

구름많음

흐림

흐리고 비

흐리고 눈

비온후 갬

소나기

천둥 번개

바람 혹은 황사

3. 오늘 느낀 감정을 모두 체크(✓)해 보세요.

- ☐ 즐겁다
- ☐ 걱정되다
- ☐ 편안하다
- ☐ 답답하다
- ☐ 당황하다
- ☐ 설레다
- ☐ 심란하다
- ☐ 보람있다
- ☐ 흥미롭다
- ☐ 불안하다
- ☐ 고맙다
- ☐ 아쉽다

지남력

장소 인식하기

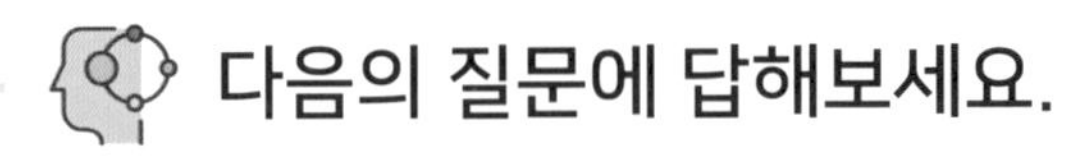

1 우리나라 이름은 무엇입니까?

2 우리나라 수도는 어디인가요?

3 고향은 어느 지역에 있습니까?

4 현재 어느 지역에 있습니까?

5 집의 주소를 적어보세요.

장소 인식하기

우리나라의 수도, 자신의 고향, 현재 사는 집의 지역을 아래 지도에 표시해 보세요.

장소 인식하기

한번이라도 가본 지역을 찾아 모두 체크해보세요.

숫자 찾기

『 6 』보다 큰 숫자에 동그라미를 한 후,
모두 몇 개인지 세어보세요.

3	2	5	1	8	7	4
6	2	7	4	0	8	6
6	8	4	4	7	2	1
6	5	3	7	4	2	5
9	6	5	4	3	2	5
7	5	9	6	4	3	7

__________ 개

집중력

글자 찾기

『 손 』과 똑같은 글자에 동그라미를 한 후,
몇 개인지 세어보세요.

등	손	배	볼	목	손	귀
입	코	눈	손	몸	털	손
손	뿔	뿔	입	손	털	몸
눈	코	손	몸	귀	발	손
손	손	목	발	손	볼	배
등	배	볼	목	코	손	뿔

__________ 개

숫자 쓰기

다음의 숫자판을 보고 색칠된 위치에 해당하는 숫자를 적어보세요.

숫자판

2	1	9	2
6	5	7	3
9	4	8	1
7	6	3	0

도형/위치 기억하기

다음의 도형판을 기억한 후, 종이로 가린 상태에서 같은 위치에 도형을 그리세요.

1

	△	
□		♡

→

2

		♡
△		□
	○	

→

3

□	△	
	♡	△
○		

→

그림 기억하기

아래의 그림을 잘 보세요. 그리고 기억하세요.

기억한 그림을 다음 장에서 찾아보세요.

기억력

그림 기억하기

앞장에서 기억한 그림을 찾아보세요.

똑같이 표시하기

왼쪽 그림과 똑같이 오른쪽 칸에 표시 하세요.

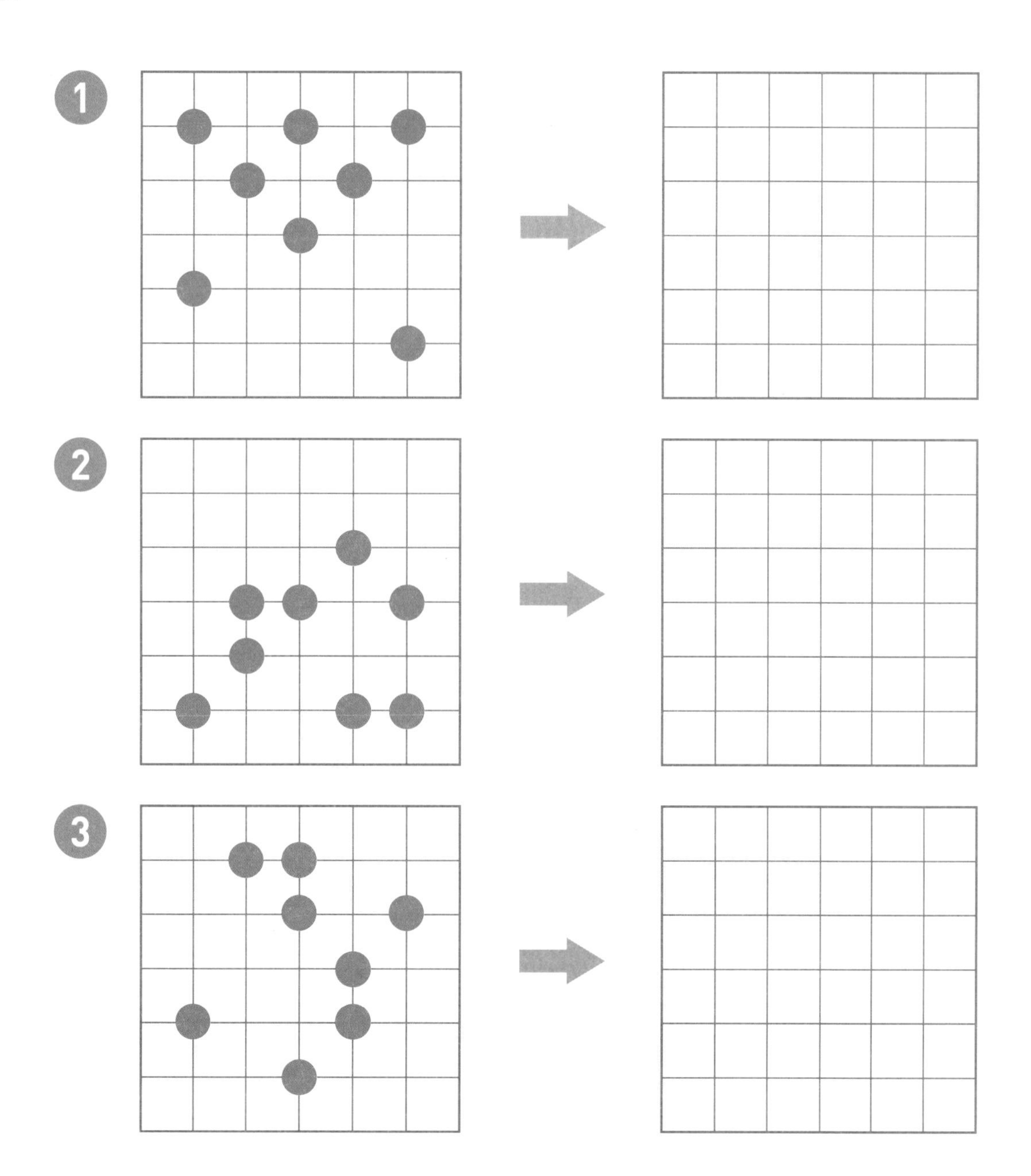

집중력

똑같이 그리기

 오른쪽 부분과 똑같이 왼쪽에 나머지 부분을 그려 보세요.

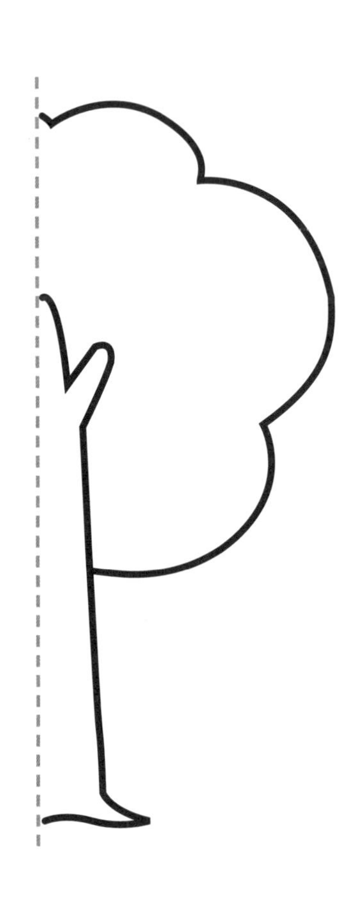

앞장에서 기억한 그림의 이름을 적어보세요.

단어 기억하기

왼쪽의 단어를 기억한 후,
종이로 가린 상태에서 오른쪽에 적어보세요.

1. 당근
   치약

2. 맛소금
   실로폰

3. 필통
   자몽

단어 기억하기

왼쪽의 단어를 기억한 후,
종이로 가린 상태에서 오른쪽에 적어보세요.

1. 사마귀
   당근
   치약

2. 맛소금
   실로폰
   수영

3. 필통
   고드름
   자몽

초성 퀴즈

앞에서 기억한 단어를 떠올리며
다음 초성에 알맞은 단어를 적어보세요.

1. ㄱ ㄷ ㄹ ➡ ____________
2. ㄷ ㄱ ➡ ____________
3. ㅁ ㅅ ㄱ ➡ ____________
4. ㅅ ㄹ ㅍ ➡ ____________
5. ㅈ ㅁ ➡ ____________
6. ㅊ ㅇ ➡ ____________
7. ㅍ ㅌ ➡ ____________

실행기능

끝말잇기

 끝말잇기를 해보세요.

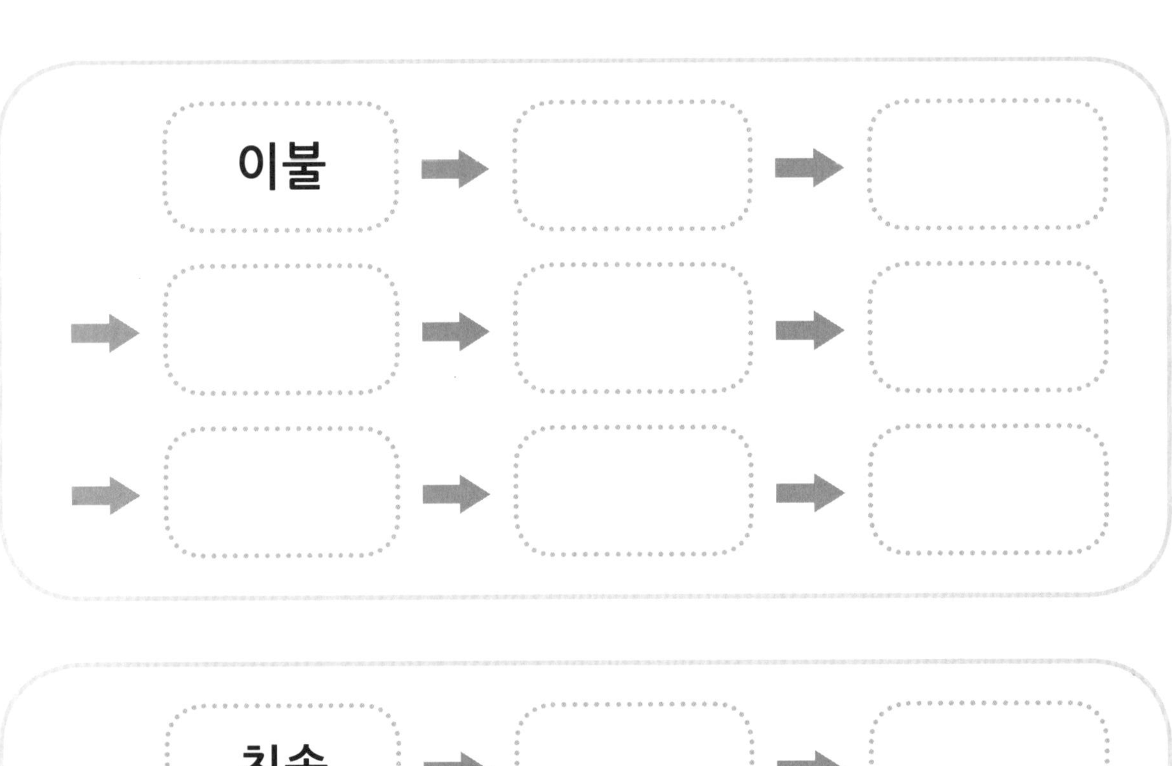

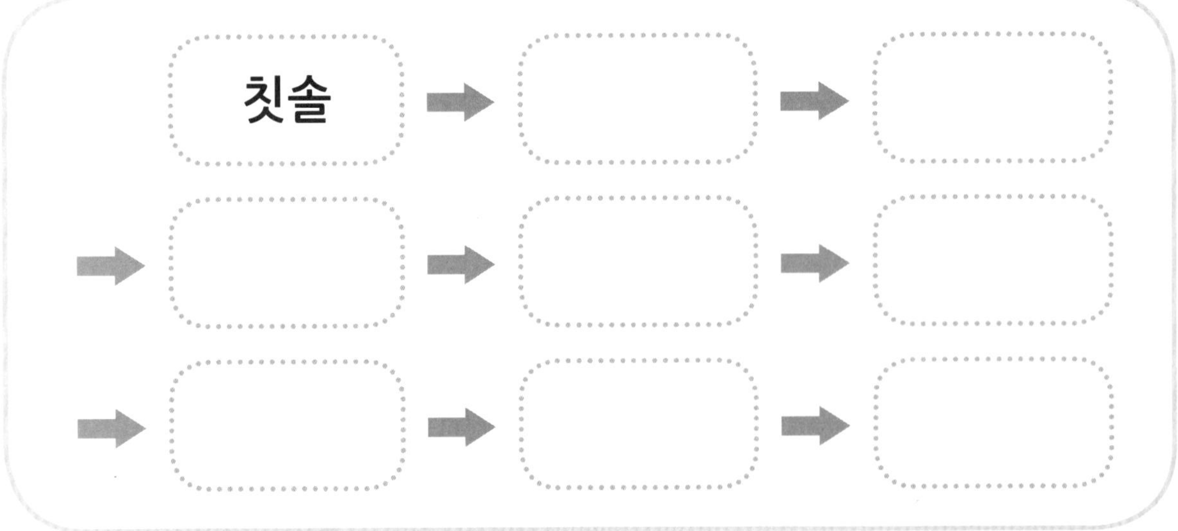

자기평가

1. 과제의 난이도가 어떠하였나요? (O) 표시해주세요.

쉬움					어려움
0	1	2	3	4	5

2. 과제를 수행하는 데, 병 전/후 차이가 있으신가요? (O) 표시해주세요.

차이가 없음				차이가 큼
0%	25%	50%	75%	100%

3. 과제를 하면서 좋았던 점은 무엇인가요?

4. 과제를 하면서 아쉬웠던 점은 무엇인가요?

추억의 노랫말

노래 가사를 기억하는 것은
기억력 훈련에 도움이 될 수 있습니다.

 노래 제목: **그대 내게 행복을 주는 사람**

(작사, 작곡: 이주호[해바라기])

내가 가는 길이 험하고 멀지라도 그대 함께 간다면 좋겠네

우리 가는 길에 아침 햇살 비치면 행복하다고 말해주겠네

이리저리 둘러봐도 제일 좋은 건 그대와 함께 있는 것

그대 내게 행복을 주는 사람 내가 가는 길이 험하고 멀지라도

그대 내게 행복을 주는사람

(1) 노래 가사 중 가장 마음에 드는 노랫말을 적어주세요.

(2) 그 노랫말을 선택한 이유와 노랫말에 대한 느낌을 표현해 보세요.

7 일차

1. 오늘 날짜를 적어보세요.

년 월 일 요일

2. 오늘 날씨를 체크(○)해 보세요.

맑음

구름조금

구름많음

흐림

흐리고 비

흐리고 눈

비온후 갬

소나기

천둥 번개

바람 혹은 황사

3. 오늘 느낀 감정을 모두 체크(✓)해 보세요.

- ☐ 즐겁다
- ☐ 당황하다
- ☐ 흥미롭다
- ☐ 걱정되다
- ☐ 설레다
- ☐ 불안하다
- ☐ 편안하다
- ☐ 심란하다
- ☐ 고맙다
- ☐ 답답하다
- ☐ 보람있다
- ☐ 아쉽다

공간 인식하기

현재 계신 장소의 이름을 적어보세요.

(1) 이 장소에서 어떤 일을 할 수 있나요?

(2) 나의 오른쪽에는 무엇이 위치해 있습니까?

(3) 나를 기준으로 출입문은 어느 방향에 있습니까?

주거 공간 인식하기

다음 사진의 장소 이름을 적어보세요.

(1) 이곳에서 볼 수 있는 도구들을 체크해보세요

접시	냄비	치약	숟가락
샤워기	수건	싱크대	샴푸
가스렌지	비누	국자	칫솔

지남력

주거 공간 인식하기

 다음 사진의 장소 이름을 적어보세요.

(1) 이곳에서 볼 수 있는 도구들을 체크해보세요

접시	냄비	치약	숟가락
샤워기	수건	싱크대	샴푸
가스렌지	비누	국자	칫솔

숫자 찾기

『 3 』보다 크고『 6 』보다 작은 숫자에 동그라미를 한 후, 모두 몇 개인지 세어보세요.

4	3	1	7	3	5	9
6	4	2	1	7	0	6
8	3	4	8	5	6	4
8	6	4	2	1	0	5
9	3	6	5	2	9	6
8	5	3	2	1	6	2
9	8	3	7	4	5	2

__________ 개

글자 찾기

『 문 』과 똑같은 글자에 동그라미를 한 후,
몇 개인지 세어보세요.

숯 문 병 펜 문 솔 돈

상 펜 컵 책 병 못 문

상 숯 문 펜 책 솥 돈

못 컵 숯 문 책 돈 펜

솔 문 병 컵 못 문 숯

문 펜 책 문 솥 돈 문

병 컵 문 솔 문 숯 책

__________ 개

숫자 쓰기

 다음의 숫자판을 보고 색칠된 위치에 해당하는 숫자를 적어보세요.

숫자판

2	1	9	2
6	5	7	3
9	4	8	1
7	6	3	0

도형/위치 기억하기

다음의 도형판을 기억한 후, 종이로 가린 상태에서 같은 위치에 도형을 그리세요.

1

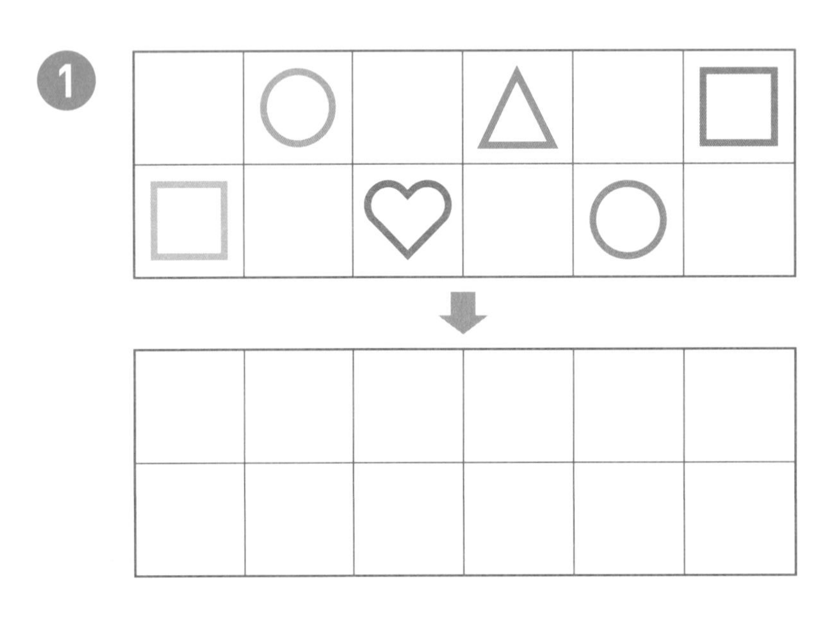

2

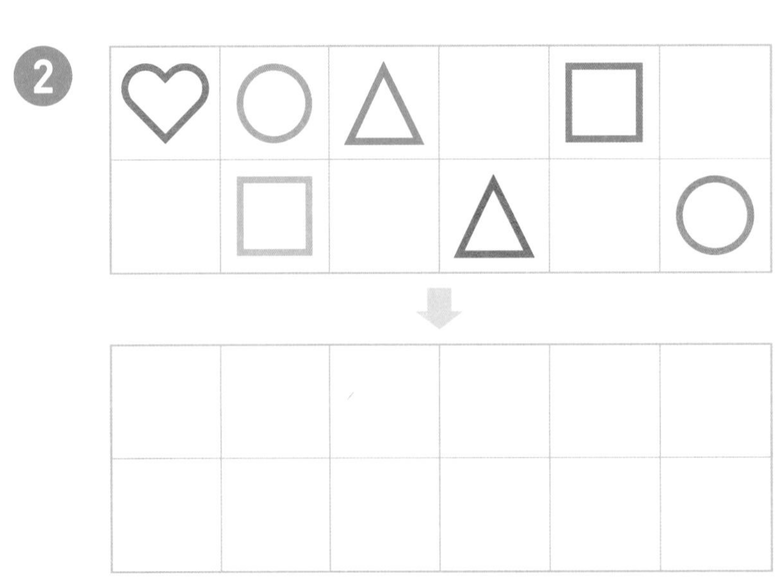

그림 기억하기

 아래의 그림을 잘 보세요. 그리고 기억하세요.

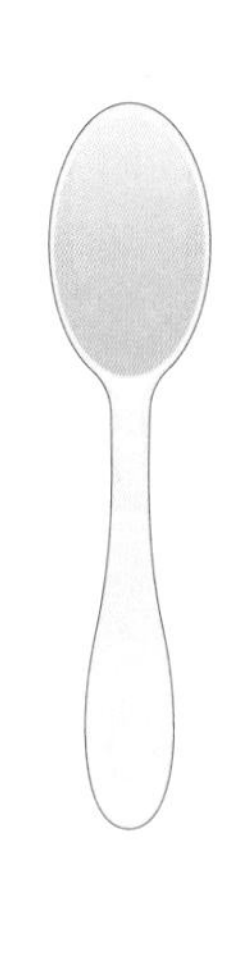

기억한 그림을 다음 장에서 찾아보세요.

그림 기억하기

앞장에서 기억한 그림을 찾아보세요.

똑같이 색칠하기

다음 보기 그림을 보고 최대한 똑같이 색칠해 보세요.

보기

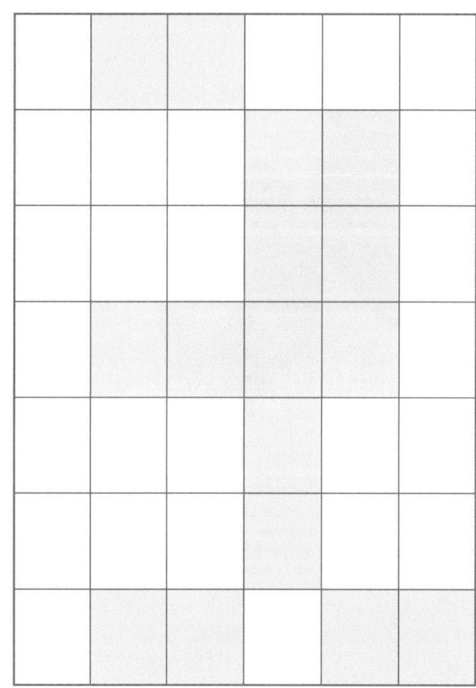

앞장에서 기억한 그림의 이름을 찾아보세요.

숟가락	냄비	커피잔	침대
접시	컴퓨터	책꽂이	의자

기억력

그림 기억하기

아래의 그림을 잘 보세요. 그리고 기억하세요.

다음 장에서 같은 그림을 찾아보세요.

그림 기억하기

앞장에서 기억한 그림을 찾아보세요.

똑같이 그리기

오른쪽 부분과 똑같이 왼쪽에 나머지 부분을 그려 보세요.

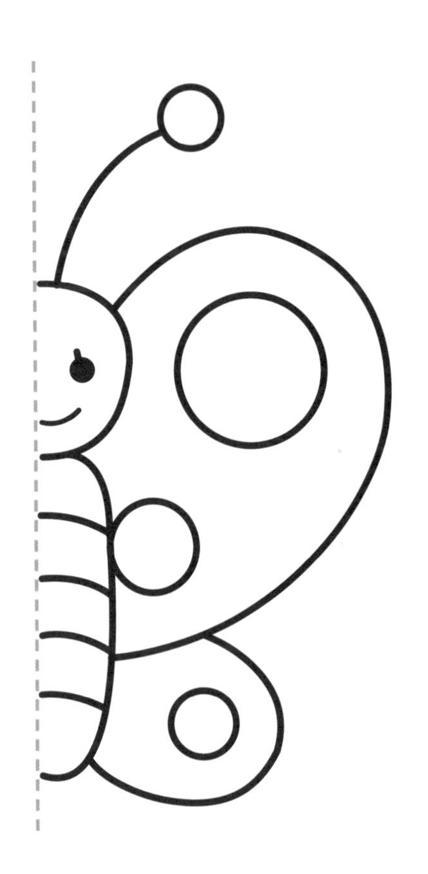

앞장에서 기억한 그림의 이름을 찾아보세요.

드라이기	선풍기	세탁기	딸기
배	전화기	바나나	사과

단어 기억하기

왼쪽의 단어를 기억한 후,
종이로 가린 상태에서 오른쪽에 적어보세요.

1.
멜론
탬버린

2.
신호등
운동화

3.
야쿠르트
카네이션

기억력

단어 기억하기

왼쪽의 단어를 기억한 후,
종이로 가린 상태에서 오른쪽에 적어보세요.

1

멜론
놀이터
탬버린

2

단풍
신호등
운동화

3

장구
야쿠르트
카네이션

초성 퀴즈

앞에서 기억한 단어를 떠올리며
다음 초성에 알맞은 단어를 적어보세요.

1. ㄴ ㅇ ㅌ → ______
2. ㄷ ㅍ → ______
3. ㅅ ㅎ ㄷ → ______
4. ㅇ ㄷ ㅎ → ______
5. ㅈ ㄱ → ______
6. ㅌ ㅂ ㄹ → ______
7. ㅋ ㄴ ㅇ ㅅ → ______

실행기능

끝말잇기

 끝말잇기를 해보세요.

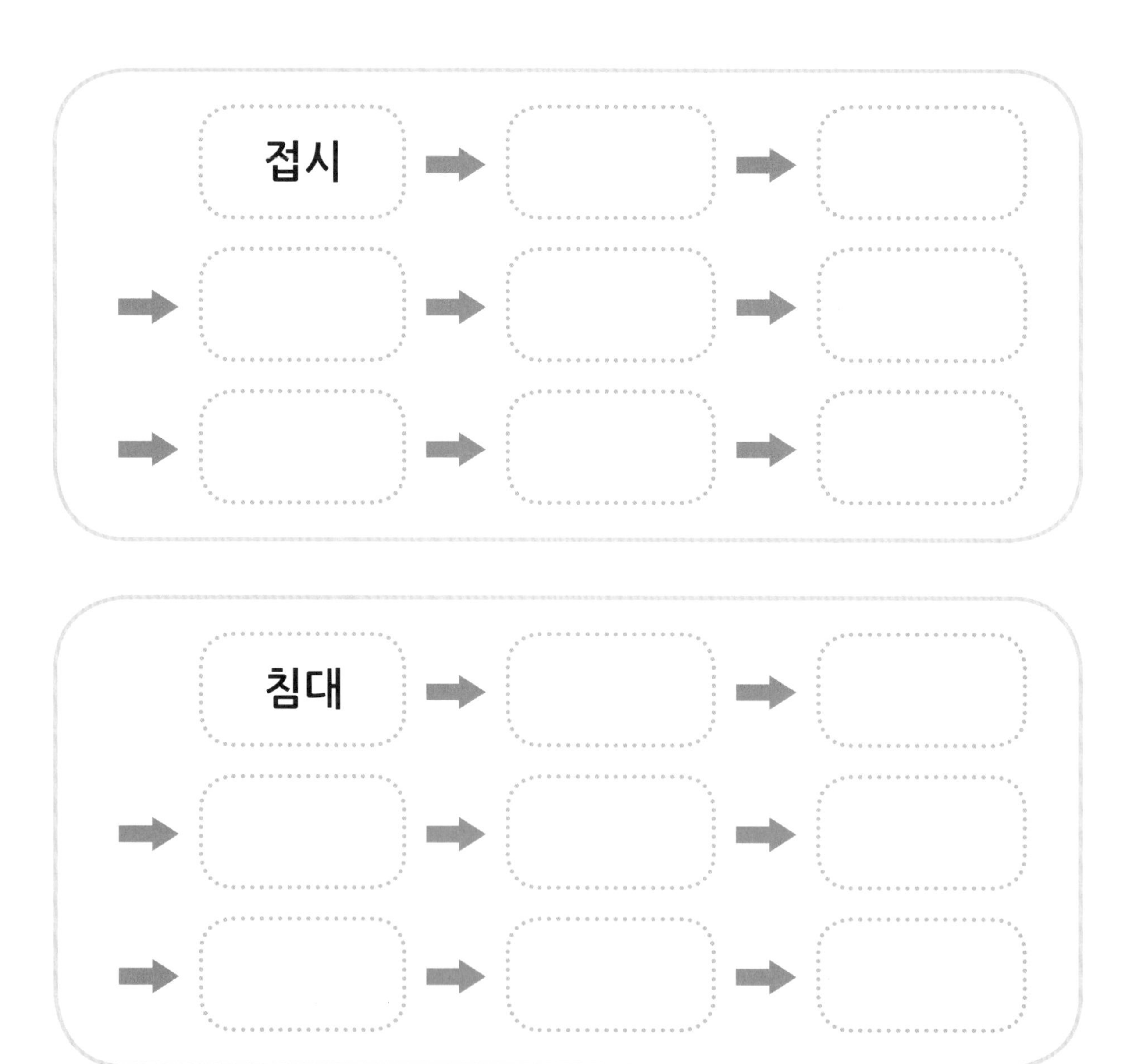

자기평가

1. 과제의 난이도가 어떠하였나요? (O) 표시해주세요.

쉬움					어려움
0	1	2	3	4	5

2. 과제를 수행하는 데, 병 전/후 차이가 있으신가요? (O) 표시해주세요.

차이가 없음				차이가 큼
0%	25%	50%	75%	100%

3. 과제를 하면서 좋았던 점은 무엇인가요?

4. 과제를 하면서 아쉬웠던 점은 무엇인가요?

추억의 노랫말

노래 가사를 기억하는 것은
기억력 훈련에 도움이 될 수 있습니다.

노래 제목: 아름다운 세상

(작사,작곡: 박학기)

문득 외롭다 느낄 땐 하늘을 봐요

같은 태양 아래 있어요 우린 하나예요

마주치는 눈빛으로 만들어가요

나즈막히 함께 불러요 사랑의 노래를

(1) 노래 가사 중 가장 마음에 드는 노랫말을 적어주세요.

(2) 그 노랫말을 선택한 이유와 노랫말에 대한 느낌을 표현해 보세요.

8일차

1. 오늘 날짜를 적어보세요.

년 월 일 요일

2. 어제의 식사 메뉴를 적어보세요.

아침 -

점심 -

저녁 -

3. 어제 보았던 텔레비전 프로그램 이름과 내용을 적어보세요.

주변 환경 인식하기

다음 사진의 장소 이름을 적어보세요.

(1) 우리 동네에 있는 위 사진 속 장소를 그려보세요.

주변 환경 인식하기

 다음 사진의 장소 이름을 적어보세요.

(1) 집에서 위 사진 속 장소로 가는 길을 약도로 그려보세요.

숫자 거꾸로 말하기

불러주는 숫자를 주의깊게 듣고,
거꾸로 말해보세요.

예시

1 2 3 ➡ 3 2 1

(다음의 숫자는 가린 상태에서 적당한 목소리와 간격으로 불러 줍니다.)

구분	숫자
숫자 2개	83
	68
	97
	76
	08
숫자 3개	948
	796
	251
	129
	960

단어 거꾸로 말하기

불러주는 단어를 주의깊게 듣고,
거꾸로 말해보세요.

예시

놀이터 ➡ 터이놀

(다음의 단어는 가린 상태에서 적당한 목소리와 간격으로 불러 줍니다.)

구분	단어
2 글자	사진
	거울
	보물
	진주
	울보
	가방
	기술
	국수
	선장
	장미

숫자를 기호로 바꾸기

<보기>를 보고 각각의 숫자에 해당하는 기호를 그려보세요.

보기

1	2	3	4
∀	∞	⊥	⊙

● 일정한 방향을 정하여 순서대로 하세요. (예: 왼쪽에서 오른쪽, 위에서 아래쪽)

2	1	3	1	4
∞	∀			
1	3	4	2	3
4	3	1	2	3
2	4	1	3	2

그림 기억하기

아래의 그림을 충분한 시간을 갖고 기억해보세요.

다 외웠으면, 다음 장의 미로찾기를 합니다.

미로찾기

미로찾기를 한 후 기억한 그림의 이름을 다음 장에 적어보세요.

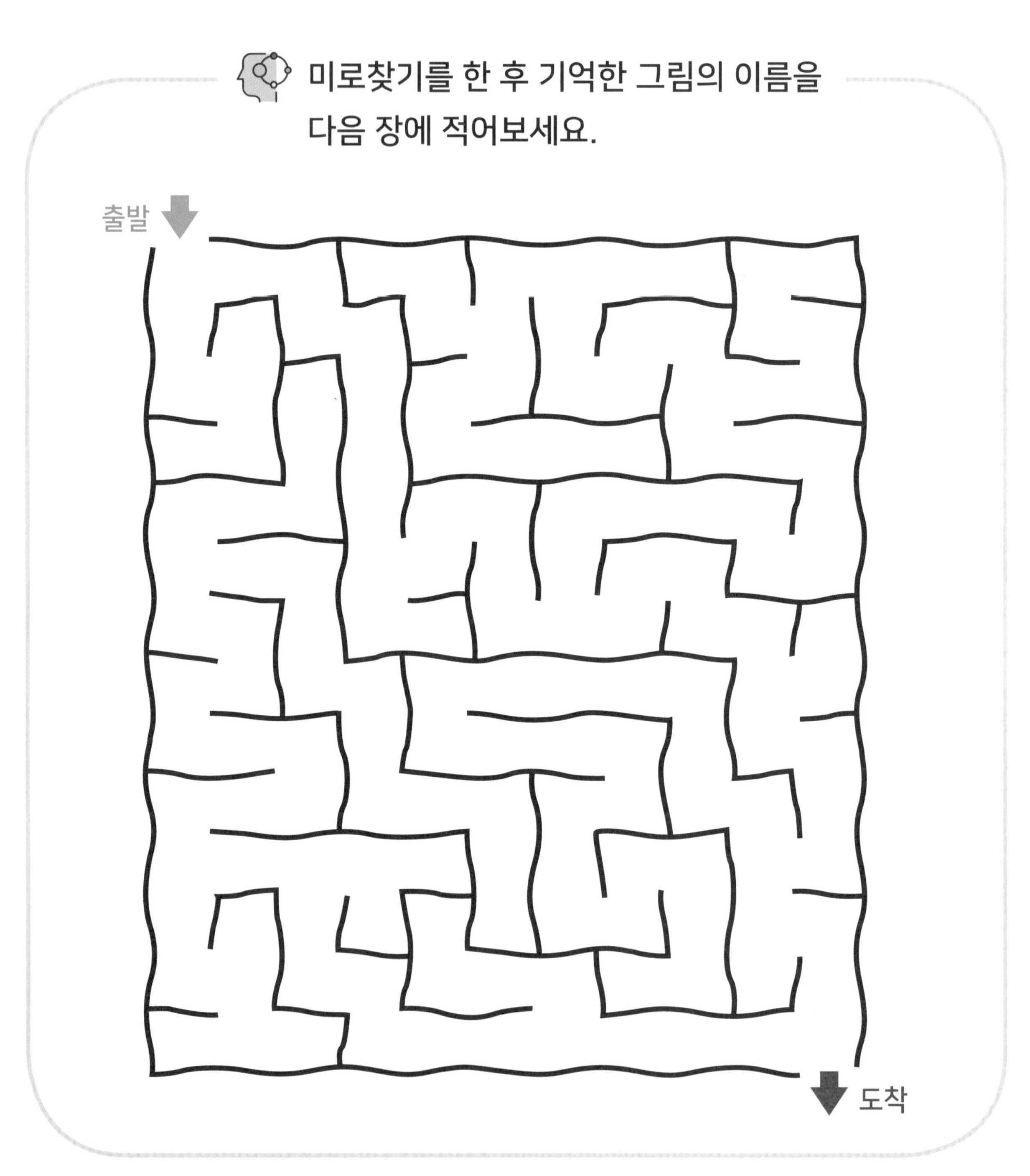

그림 기억하기

2단계
8일

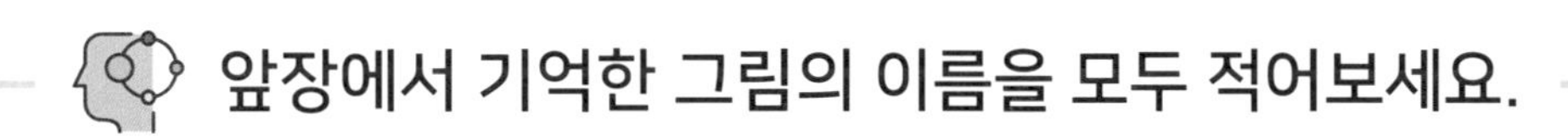

앞장에서 기억한 그림의 이름을 모두 적어보세요.

1

2

3

4

5

단어 기억하기

왼쪽의 단어를 기억한 후
종이로 가린 상태에서 오른쪽에 적어보세요.

1

교자상
키위
연필
파
부채

2

참외
코스모스
매미
리본
우유

단어 기억하기

앞장에서 기억한 단어를 가로, 세로, 대각선으로 조합하여 찾아보세요.

예시

김	나	당	참	외	나	키	도
샷	리	금	소	고	동	위	김
건	본	은	약	잡	연	필	파
약	화	부	국	차	곶	숨	나
구	수	채	양	콩	트	타	편
잡	육	도	매	미	루	잡	금
난	채	나	라	김	신	우	유

정답 우유, 연필, 부채, 매미, 키위

가격 기억하기

 다음의 가격을 기억해보세요.

고추	850원
당근	200원
부추	750원
무우	900원

위의 내용을 종이로 가린 상태에서 가격을 적어보세요.

고추 -

당근 -

부추 -

무우 -

다음 품목의 가격을 보고 아래 문제에 답해 보세요.

무우(1개)	900원
깐마늘(1kg)	6,000원
아삭이고추(100g)	850원
오이(5개)	3,000원
당근(100g)	200원
시금치(1단)	2,000원
부추(1단)	750원
대파(1단)	1,500원

질문 1 깐마늘(1kg), 오이(5개), 시금치(1단)을 구매하는 가격은 얼마인가요?

질문 2 무우(1개), 당근(100g), 대파(1단)을 구매하는 가격은 얼마인가요?

질문 3 김밥에 필요한 재료를 구매하려고 합니다.
필요한 재료와 구매가격의 총합을 적어보세요.

실행기능

분류하기

다음의 목록을 아래와 같은 기준으로 분류해보세요.

당근	바나나	오이	고추장	참기름
설탕	호박	사과	감자	수박
딸기	된장	배추	포도	소금

과일	양념/조미료	채소

자기평가

1. 과제의 난이도가 어떠하였나요? (○) 표시해주세요.

2. 과제를 수행하는 데, 병 전/후 차이가 있으신가요? (○) 표시해주세요.

차이가 없음				차이가 큼
0%	25%	50%	75%	100%

3. 과제를 하면서 어려운 점이 있으셨나요?

4. 어려운 점이 있다면, 어떤 노력을 해야 할까요?

추억의 노랫말

노래 가사를 기억하는 것은 기억력 훈련에 도움이 될 수 있습니다.

노래 제목: 얼굴 찌푸리지 말아요

(작사: 최창현, 작곡: 최창현)

얼굴 찌푸리지 말아요 모두가 힘들잖아요

기쁨의 그날 위해 함께 할 친구들이 있잖아요

혼자라고 느껴질 때면 주위를 둘러보세요

이렇게 많은 이들 모두가 나의 친구랍니다

(1) 노래 가사 중 가장 마음에 드는 노랫말을 적어주세요.

(2) 그 노랫말을 선택한 이유와 노랫말에 대한 느낌을 표현해 보세요.

9 일차

1. 오늘 날짜를 적어보세요.

년 월 일 요일

2. 어제의 식사 메뉴를 적어보세요.

아침 -

점심 -

저녁 -

3. 어제 보았던 텔레비전 프로그램 이름과 내용을 적어보세요.

지남력

자주 방문하는 장소 인식하기

최근 자주 방문하는 곳은 어디인가요?

(1) 현재 있는 곳에서 자주 가는 장소의 길을 약도로 그리고, 설명해보세요.

(2) 이곳을 생각하면 어떤 느낌이 떠오르나요?

주변장소 인식하기

내가 사는 동네에 있는 장소들을
모두 동그라미 해보세요.

놀이터	편의점	경찰서
버스정류장	우체국	은행
소방서	지하철역	시장
학교	병원	문구점
도서관	공원	슈퍼마켓
아파트	미용실	백화점
주민센터	약국	유치원

집중력

숫자 거꾸로 말하기

불러주는 숫자를 주의깊게 듣고,
거꾸로 말해보세요.

예시

1 2 3 ➡ 3 2 1

(다음의 숫자는 가린 상태에서 적당한 목소리와 간격으로 불러 줍니다.)

구분	숫자
숫자 3개	357
	428
	614
	893
	276

구분	숫자
숫자 4개	1357
	3515
	7132
	8436
	5923

단어 거꾸로 말하기

불러주는 단어를 주의깊게 듣고,
거꾸로 말해보세요.

예시

놀이터 ➡ 터이놀

(다음의 단어는 가린 상태에서 적당한 목소리와 간격으로 불러 줍니다.)

3 글자	
	한라산
	박물관
	우체통
	소방차
	동물원
	소설책
	운동장
	화장품
	소화제
	개나리

집중력

숫자를 기호로 바꾸기

<보기>를 보고 각각의 숫자에 해당하는 기호를 그려보세요.

보기

6	7	8	9
@	#	$	%

● 일정한 방향을 정하여 순서대로 하세요. (예 : 왼쪽에서 오른쪽, 위에서 아래쪽)

6	9	7	6	8
@	%			
8	7	8	6	7
7	9	6	8	9
8	6	9	8	7

그림 기억하기

 아래의 그림을 충분한 시간을 갖고 기억해보세요.

다 외웠으면, 다음 장의 미로찾기를 합니다.

집중력

미로찾기

기억한 그림의 이름을 미로찾기를 한 후 다음 장에 적어보세요.

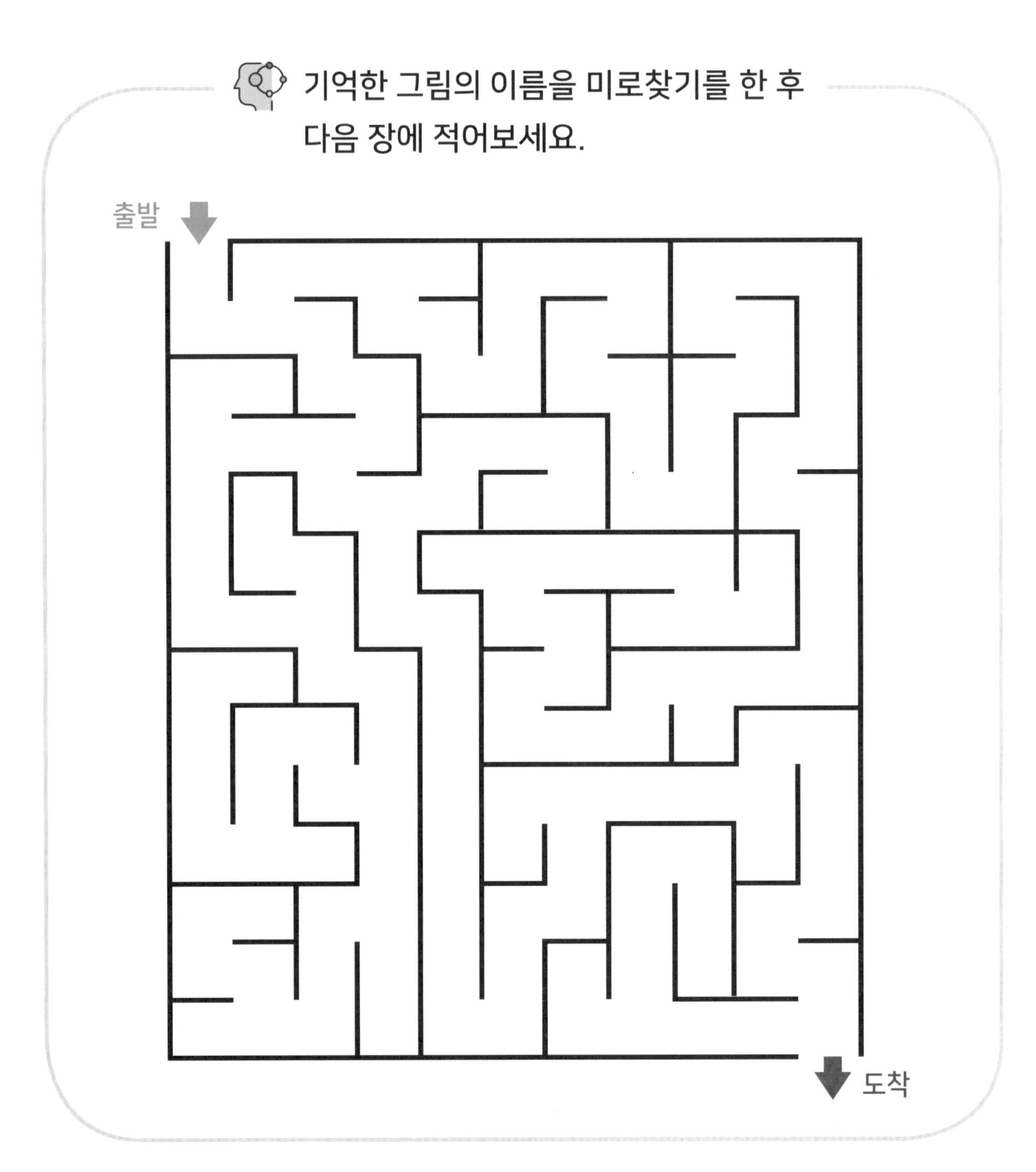

그림 기억하기

앞장에서 기억한 그림의 이름을 모두 적어보세요.

1

2

3

4

5

단어 기억하기

왼쪽의 단어를 기억한 후
종이로 가린 상태에서 오른쪽에 적어보세요.

1

식탁
전화기
바지
컵라면
창문

2

라디오
냄비
구두
과자
먼지털이

단어 기억하기

앞장에서 기억한 단어를 가로, 세로,대각선으로 조합하여 찾아보세요.

자	이	영	냄	비	필	가	는
펜	구	문	음	전	화	기	식
결	두	장	해	상	보	제	신
에	단	오	국	과	자	대	호
맘	디	밥	컵	약	트	식	탁
라	종	학	라	해	잘	교	구
화	할	진	면	달	있	한	수

예시: 과자

정답 식탁, 전화기, 컵라면, 냄비, 라디오

기억력

가격 기억하기

다음의 가격을 기억해보세요.

비빔국수	5,000원
땡초김밥	2,500원
갈비만두	3,000원
콜라	1,000원

위의 내용을 종이로 가린 상태에서 가격을 적어보세요.

비빔국수 -

땡초김밥 -

갈비만두 -

콜라 -

계산하기

다음 품목의 가격을 보고 아래 문제에 답해 보세요.

잔치국수	4,500원
비빔국수	5,000원
콩국수	6,000원
땡초김밥	2,500원
갈비만두	3,000원
소주	3,500원
맥주	4,000원
콜라	1,000원

질문 1 잔치국수, 땡초김밥, 갈비만두를 주문한 가격은 얼마인가요?

질문 2 비빔국수 2개, 콩국수 1개, 콜라 3개를 주문한 가격은 얼마인가요?

질문 3 면 종류 음식을 모두 주문한 가격은 얼마인가요?

실행기능

분류하기

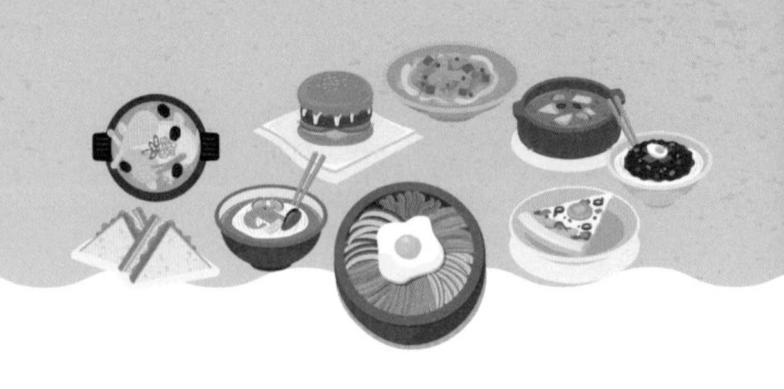

다음의 목록을 아래와 같은 기준으로 분류해보세요.

짬뽕	비빔밥	불고기 정식	햄버거	팔보채
자장면	스파게티	탕수육	깐풍기	삼계탕
된장찌개	샌드위치	피자	감자탕	스테이크

한식	중식	양식

자기평가

1. 과제의 난이도가 어떠하였나요? (○) 표시해주세요.

2. 과제를 수행하는 데, 병 전/후 차이가 있으신가요? (○) 표시해주세요.

차이가 없음 | 차이가 큼

0% 25% 50% 75% 100%

3. 과제를 하면서 어려운 점이 있으셨나요?

4. 어려운 점이 있다면, 어떤 노력을 해야 할까요?

노래 가사를 기억하는 것은 기억력 훈련에 도움이 될 수 있습니다.

 노래 제목: **바람이 불어오는 곳**

(작사, 작곡: 김광석)

바람이 불어오는 곳 그곳으로 가네

그대의 머릿결 같은 나무 아래로

덜컹이는 기차에 기대어 너에게 편지를 쓴다

꿈에 보았던 길 그 길에 서 있네

(1) 노래 가사 중 가장 마음에 드는 노랫말을 적어주세요.

(2) 그 노랫말을 선택한 이유와 노랫말에 대한 느낌을 표현해 보세요.

1. 오늘 날짜를 적어보세요.

년 월 일 요일

2. 어제의 식사 메뉴를 적어보세요.

아침 -

점심 -

저녁 -

3. 어제 보았던 텔레비전 프로그램 이름과 내용을 적어보세요.

지남력

자신에 대하여 인식하기

나에 대한 정보를 빈칸에 적어 보세요.

내 생일은 ________년 _____월 _____일

내 나이는 ________세

내가 사는 곳의 주소는

____

내 키는 ____________ cm

내 몸무게는 ____________ kg

내 신발 사이즈는 ___________ mm

내가 가장 좋아하는 사람은 ___________________________

내가 좋아하는 군것질은 ______________________________

내가 좋아하는 노래는 ________________________________

내가 싫어하는 냄새는 ________________________________

내가 싫어하는 날씨는 ________________________________

내가 싫어하는 소리는 ________________________________

자신에 대하여 인식하기

 '나'에게 맞는 표현에 체크(✔)하세요.

		그렇다	아니다
1	나는 키가 크다.		
2	나는 안경을 쓴다.		
3	나는 여자다.		
4	나는 손재주가 좋다.		
5	나는 마른 편이다.		
6	나는 그림을 잘 그린다.		
7	나는 여행을 좋아한다.		
8	나는 부끄러움이 많은 편이다.		
9	나는 겨울을 좋아한다.		
10	나는 잘 웃는다.		
11	나는 노래를 좋아한다.		
12	나는 쌍커풀이 있다.		
13	나는 운전을 할 수 있다.		
14	나는 종교가 있다.		

숫자 거꾸로 말하기

불러주는 숫자를 주의깊게 듣고,
거꾸로 말해보세요.

예시

123 ➡ 321

(다음의 숫자는 가린 상태에서 적당한 목소리와 간격으로 불러 줍니다.)

구분	숫자
숫자 3개	732
	125
	638
	574
	913
숫자 4개	4728
	7642
	2195
	8236
	3941

단어 거꾸로 말하기

불러주는 단어를 주의깊게 듣고,
거꾸로 말해보세요.

예시

놀이터 ➡ 터이놀

(다음의 단어는 가린 상태에서 적당한 목소리와 간격으로 불러 줍니다.)

3 글자	전화기
	연습장
	노트북
	마우스
	책걸상
	슬리퍼
	책갈피
	머그컵
	컴퓨터
	색연필

집중력

숫자를 기호로 바꾸기

<보기>를 보고 각각의 숫자에 해당하는 기호를 그려보세요.

보기

1	2	3	4	5	6	7	8
→	±	□	⊆	☆	↓	⊃	▽

6	↓
3	
8	
5	
2	
7	
1	
4	

3	
6	
7	
1	
4	
5	
8	
2	

그림 기억하기

아래의 그림을 충분한 시간을 갖고 기억해보세요.

다 외웠으면, 다음 장의 미로찾기를 합니다.

미로찾기

기억한 그림의 이름을 미로찾기를 한 후
다음 장에 적어보세요.

그림 기억하기

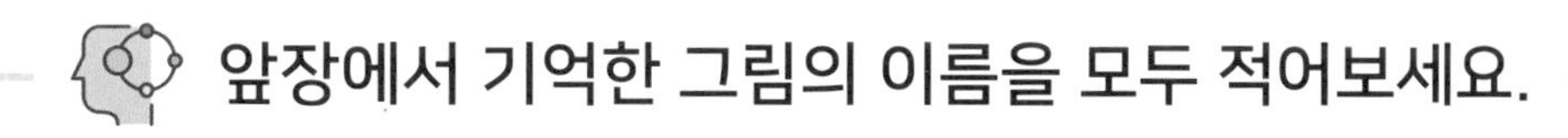
앞장에서 기억한 그림의 이름을 모두 적어보세요.

1

2

3

4

5

단어 기억하기

왼쪽의 단어를 기억한 후
종이로 가린 상태에서 오른쪽에 적어보세요.

1

카메라
계산기
아파트
싸인펜
딸기주스

2

남극
초코케이크
지팡이
햄스터
민들레

단어 기억하기

 앞장에서 기억한 단어를 가로, 세로, 대각선으로 조합하여 찾아보세요.

분	페	연	화	계	산	기	구
지	남	미	이	동	트	병	당
혜	자	극	정	파	지	내	민
서	분	대	아	용	카	의	들
개	정	책	부	우	메	가	레
지	팡	이	수	방	라	산	울
교	랑	학	답	녘	꾸	원	일

예시: 카메라

정답 계산기, 지팡이, 민들레, 아파트, 남극

기억력

가격 기억하기

다음의 가격을 기억해보세요.

알탕	9,000원
꽁치구이	8,000원
갈치구이	11,000원
갈치조림	19,000원

위의 내용을 종이로 가린 상태에서 가격을 적어보세요.

알탕 -

꽁치구이 -

갈치구이 -

갈치조림 -

계산하기

 다음 품목의 가격을 보고 아래 문제에 답해 보세요.

갈치구이	11,000원
삼치구이	9,500원
꽁치구이	8,000원
삼치양념구이	10,500원
갈치조림	19,000원
동태탕	8,500원
알탕	9,000원
어묵탕	7,500원

질문 1 꽁치구이, 갈치조림, 알탕을 주문한 가격은 얼마인가요?

질문 2 갈치구이 2개, 삼치구이 2개, 동태탕 1개를 주문한 가격은 얼마인가요?

질문 3 구이 2종류, 탕 1종류를 골라보세요. 주문한 가격은 얼마인가요?

분류하기

다음의 목록을 아래와 같은 기준으로 분류해보세요.

갈비	보쌈	매운탕	백숙	숙주나물
고등어조림	삼겹살	삼치구이	도라지무침	불고기
깻잎	고사리무침	장어구이	봄나물	아구찜

육류	나물류	생선류

자기평가

1. 과제의 난이도가 어떠하였나요? (○) 표시해주세요.

쉬움					어려움
0	1	2	3	4	5

2. 과제를 수행하는 데, 병 전/후 차이가 있으신가요? (○) 표시해주세요.

차이가 없음				차이가 큼
0%	25%	50%	75%	100%

3. 과제를 하면서 어려운 점이 있으셨나요?

4. 어려운 점이 있다면, 어떤 노력을 해야 할까요?

추억의 노랫말

\# 노래 가사를 기억하는 것은
기억력 훈련에 도움이 될 수 있습니다.

노래 제목: 꼬마야

(작사,작곡: 김창완)

꼬마야 꽃신신고 강가에나 나가보렴

오늘 밤엔 민들레 달빛 춤출 텐데

너는 들리니 바람에 묻어오는

고향빛 노랫소리 그건 아마도

불빛처럼 예쁜 마음일거야

(1) 노래 가사 중 가장 마음에 드는 노랫말을 적어주세요.

(2) 그 노랫말을 선택한 이유와 노랫말에 대한 느낌을 표현해 보세요.

11 일차

가정에서 할 수 있는 인지재활 프로젝트

1. 오늘 날짜를 적어보세요.

년 월 일 요일

2. 어제의 식사 메뉴를 적어보세요.

아침 -

점심 -

저녁 -

3. 어제 보았던 텔레비전 프로그램 이름과 내용을 적어보세요.

지남력

가족 인식하기

가족은 모두 몇 명인가요?

(1) 가족의 이름과 나이, 생일을 적어주세요.

(2) 가족에게 하고 싶은 말을 적어보세요.

가족 인식하기

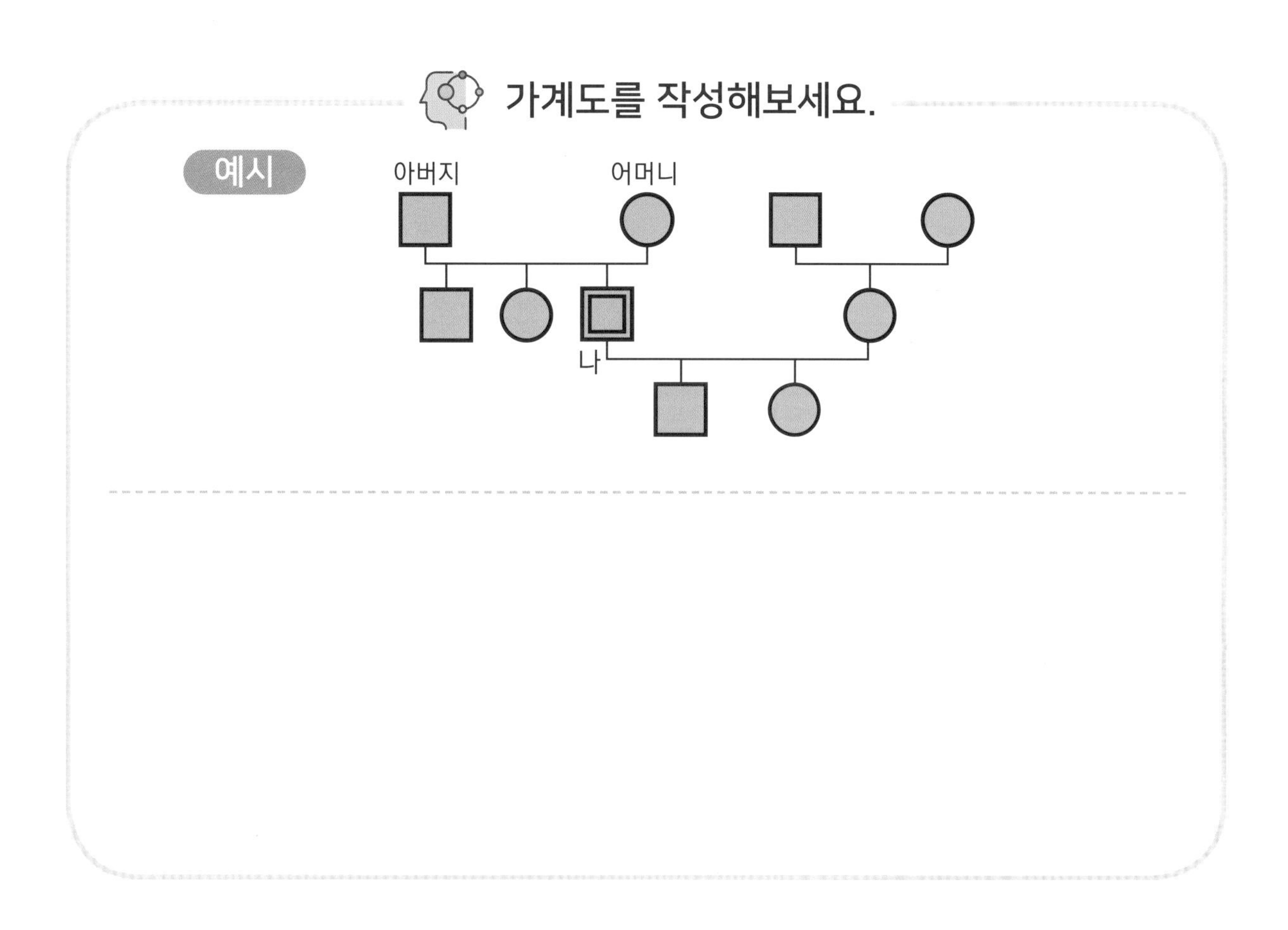

(1) 지금 함께 살고 있는 사람은 누구입니까?

___

(2) 가족들의 관계는 서로 어떠한가요?

___

(3) 가장 가까운 가족은 누구입니까?

___

집중력

숫자 거꾸로 말하기

불러주는 숫자를 주의깊게 듣고,
거꾸로 말해보세요.

예시

1 2 3 ➡ 3 2 1

(다음의 숫자는 가린 상태에서 적당한 목소리와 간격으로 불러 줍니다.)

숫자 4개	
	7894
	3576
	2837
	9123
	2038
	1539
	4681
	7923
	5402
	8327

단어 거꾸로 말하기

불러주는 단어를 주의깊게 듣고,
거꾸로 말해보세요.

예시

놀이터 ➡ 터이놀

(다음의 단어는 가린 상태에서 적당한 목소리와 간격으로 불러 줍니다.)

4 글자	미끄럼틀
	일상생활
	탁상달력
	미꾸라지
	편지봉투
	스케치북
	파인애플
	애플망고
	제육볶음
	횡단보도

숫자를 기호로 바꾸기

 <보기>를 보고 각각의 숫자에 해당하는 기호를 그려보세요.

보기

1	2	3	4	5	6	7	8	9	10
→	±	□	⊆	☆	↓	⊃	▽	○	↑

● 일정한 방향을 정하여 순서대로 하세요. (예 : 왼쪽에서 오른쪽, 위에서 아래쪽)

1	3	2	7	5	9	4
8	10	2	4	3	6	1
2	9	5	1	8	3	6
1	4	2	7	5	9	8
5	6	3	7	10	2	8
4	1	8	3	2	9	5
7	5	9	10	1	3	8

그림 기억하기

아래의 그림을 충분한 시간을 갖고 기억해보세요.

다 외웠으면, 다음 장의 미로찾기를 합니다.

미로찾기

기억한 그림의 이름을 미로찾기를 한 후
다음 장에 적어보세요.

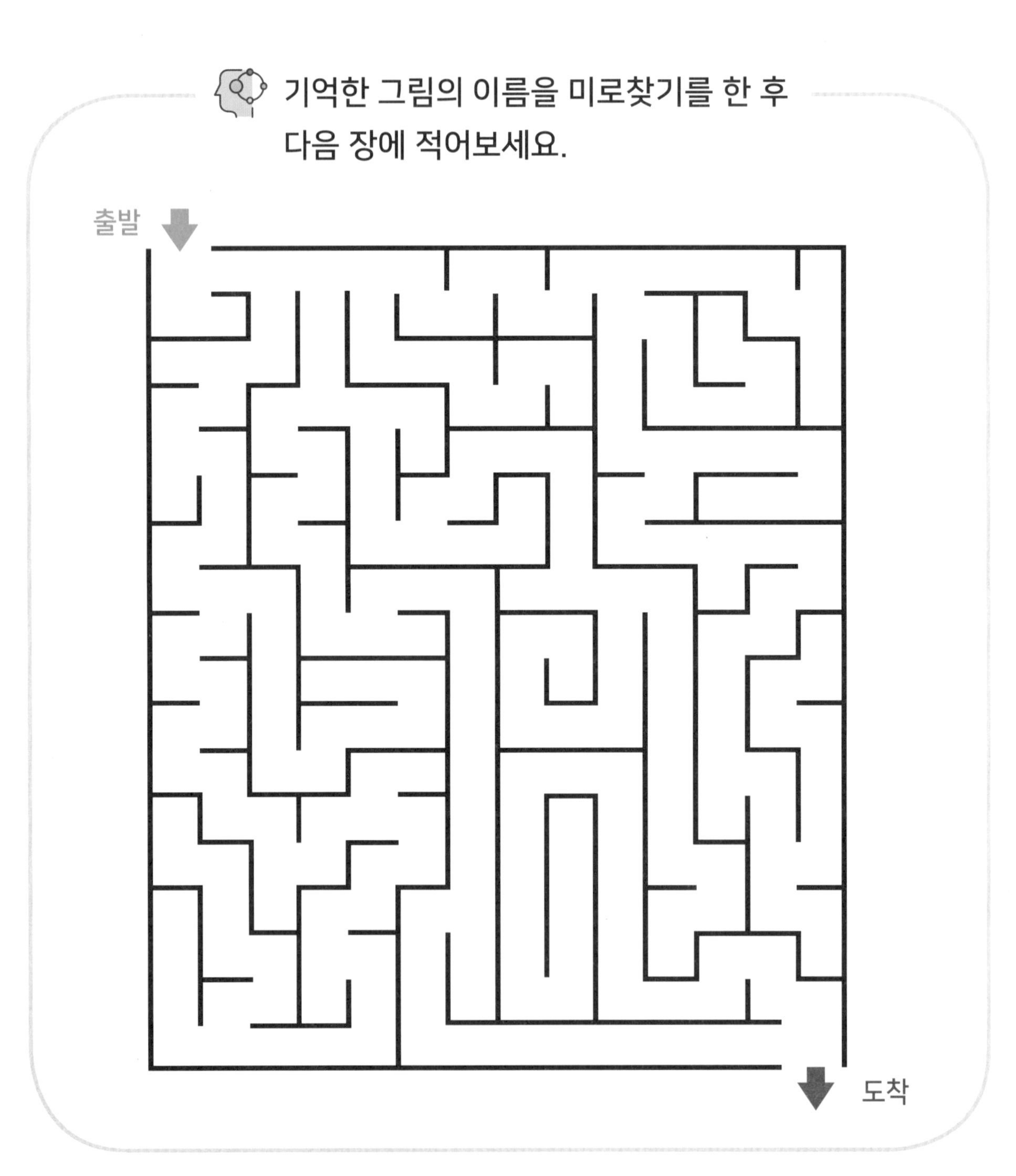

그림 기억하기

앞장에서 기억한 그림의 이름을 모두 적어보세요.

1

2

3

4

5

6

7

기억력

단어 기억하기

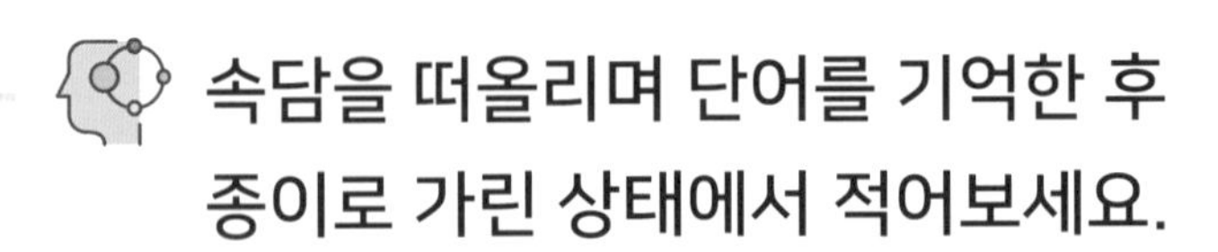

속담을 떠올리며 단어를 기억한 후
종이로 가린 상태에서 적어보세요.

❶

개구리	까마귀	올챙이
발등	도끼	배

❷

고래	자라	우물
새우	솥뚜껑	숭늉

단어 기억하기

앞장에서 기억한 단어를 가로, 세로, 대각선으로 조합하여 찾아보세요.

우	파	준	맨	드	라	미	식
물	무	속	루	새	우	크	직
보	욱	지	견	지	의	레	펭
빵	솥	뚜	껑	세	건	올	리
까	길	보	루	논	필	챙	헌
로	마	나	무	림	기	이	빨
억	조	귀	좋	도	끼	피	기

예시: 도끼

정답 우물, 까마귀, 솥뚜껑, 새우, 올챙이

가격 기억하기

다음의 가격을 기억해보세요.

건조대	19,000원
다리미판	11,000원
휴지통	19,000원
설거지통	20,000원

위의 내용을 종이로 가린 상태에서 가격을 적어보세요.

건조대 -

다리미판 -

휴지통 -

설거지통 -

계산하기

다음 품목의 가격을 보고 아래 문제에 답해 보세요.

키친타올걸이	9,000원
냄비정리대	25,000원
설거지통	20,000원
섬유유연제	14,000원
건조대	19,000원
다리미판	11,000원
막대걸레	13,000원
휴지통	19,000원

질문 1 섬유유연제, 건조대를 구입하는 비용은 얼마인가요?

질문 2 설거지통 1개, 휴지통 2개를 구입하는 비용은 얼마인가요?

질문 3 주방용품을 모두 구입하는 비용은 얼마인가요?

실행기능

분류하기

다음에 해당하는 물건들을 최대한 많이 적어보세요.

주방용품	욕실용품	청소용품

자기평가

1. 과제의 난이도가 어떠하였나요? (O) 표시해주세요.

쉬움					어려움
0	1	2	3	4	5

2. 과제를 수행하는 데, 병 전/후 차이가 있으신가요? (O) 표시해주세요.

차이가 없음				차이가 큼
0%	25%	50%	75%	100%

3. 과제를 하면서 어려운 점이 있으셨나요?

4. 어려운 점이 있다면, 어떤 노력을 해야 할까요?

추억의 노랫말

노래 가사를 기억하는 것은
기억력 훈련에 도움이 될 수 있습니다.

노래 제목: 사랑은 연필로 쓰세요

(작사: 남국인, 작곡: 유명진)

꿈으로 가득찬 설레이는 이 가슴에

사랑을 쓰려거든 연필로 쓰세요

사랑을 쓰다가 쓰다가 틀리면

지우개로 깨끗이 지워야 하니까

(1) 노래 가사 중 가장 마음에 드는 노랫말을 적어주세요.

(2) 그 노랫말을 선택한 이유와 노랫말에 대한 느낌을 표현해 보세요.

12 일차

1. 오늘 날짜를 적어보세요.

년 월 일 요일

2. 어제의 식사 메뉴를 적어보세요.

아침 -

점심 -

저녁 -

3. 어제 보았던 텔레비전 프로그램 이름과 내용을 적어보세요.

지남력

주위사람 인식하기

최근 많은 시간을 함께 보내는 사람의
이름과 관계 그리고 장점을 적어보세요.

이름	관계	장점

친구 인식하기

어릴 적 친구의 이름과
친구와의 추억을 적어보세요.

이름	추억

집중력

숫자 거꾸로 말하기

불러주는 숫자를 주의깊게 듣고,
거꾸로 말해보세요.

예시

1 2 3 ➡ 3 2 1

(다음의 숫자는 가린 상태에서 적당한 목소리와 간격으로 불러 줍니다.)

숫자 4개	
	3051
	7295
	1382
	8912
	2768

숫자 5개	
	42156
	25681
	35247
	80245
	76123

단어 거꾸로 말하기

불러주는 단어를 주의깊게 듣고,
거꾸로 말해보세요.

예시

놀이터 ➡ 터이놀

(다음의 단어는 가린 상태에서 적당한 목소리와 간격으로 불러 줍니다.)

4 글자	징검다리
	양념치킨
	동그라미
	비밀번호
	정사각형
	아이스티
	메이크업
	눈썰매장
	딸기체험
	초등학생

숫자를 기호로 바꾸기

 <보기>를 보고 각각의 숫자에 해당하는 기호를 그려보세요.

보기

1	2	3	4	5	6	7	8
→	±	□	⊆	⊙	↓	⊃	▽

264-7631	
423-1458	
322-1614	
783-1528	
638-5327	

그림 기억하기

2단계
12일

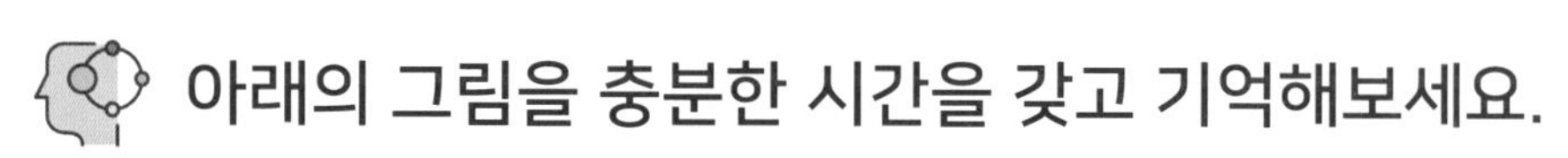
아래의 그림을 충분한 시간을 갖고 기억해보세요.

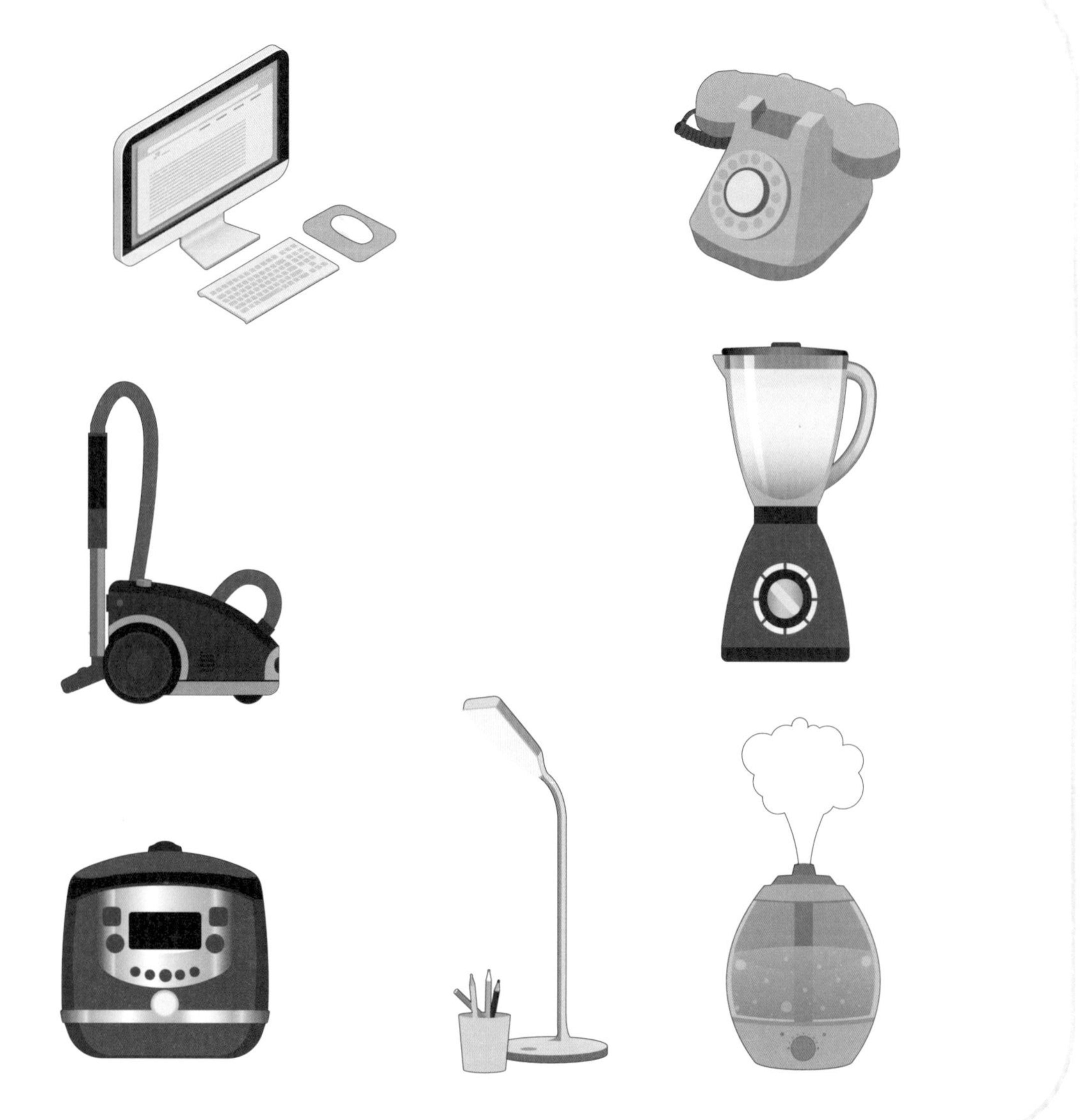

다 외웠으면, 다음 장의 미로찾기를 합니다.

미로찾기

기억한 그림의 이름을 미로찾기를 한 후
다음 장에 적어보세요.

그림 기억하기

 앞장에서 기억한 그림의 이름을 모두 적어보세요.

1

2

3

4

5

6

7

단어 기억하기

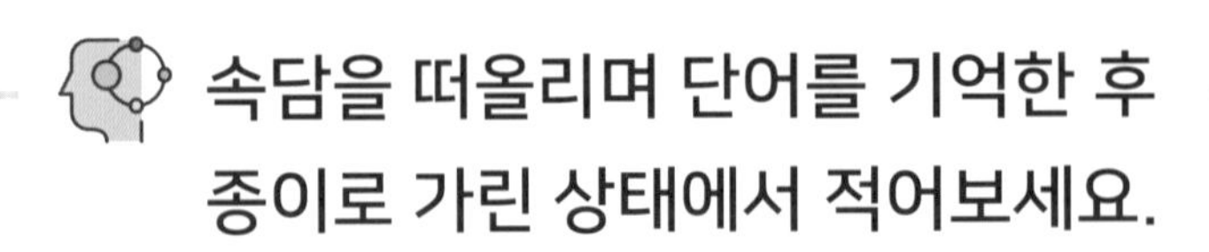

속담을 떠올리며 단어를 기억한 후
종이로 가린 상태에서 적어보세요.

1

김칫국	고양이	부뚜막
떡	방울	

2

참새	굼벵이	도토리
방앗간	재주	

단어 기억하기

앞장에서 기억한 단어를 가로, 세로, 대각선으로 조합하여 찾아보세요.

돗	불	새	굼	벵	이	서	단
울	세	독	곡	려	김	연	익
트	오	세	참	새	잔	칫	폴
대	방	배	댄	카	님	솜	국
옹	울	차	앙	콩	방	열	음
마	이	나	눈	코	멘	앗	랄
린	도	토	리	물	방	널	간

예시: 참새

정답 도토리, 굼벵이, 방앗간, 방울, 김칫국

가격 기억하기

 다음의 가격을 기억해보세요.

연필	2,500원
싸인펜	8,700원
연필깎이	9,500원
크레파스	11,000원

위의 내용을 종이로 가린 상태에서 가격을 적어보세요.

연필 -

싸인펜 -

연필깎이 -

크레파스 -

계산하기

다음 품목의 가격을 보고 아래 문제에 답해 보세요.

품목	가격
붓	12,000원
크레파스	11,000원
색연필	14,000원
싸인펜	8,700원
스케치북	4,000원
연필깎이	9,500원
연필	2,500원
지우개	1,000원

질문 1 크레파스, 스케치북, 싸인펜을 구입한 가격은 얼마인가요?

질문 2 연필 4자루, 지우개 3개를 구입하는 가격은 얼마인가요?

질문 3 색칠하기 위해 필요한 도구를 골라보세요.
고른 도구를 구입하는 가격은 얼마인가요?

실행기능

분류하기

 다음의 목록을 아래과 같은 기준으로 분류해보세요.

철봉	물감	첼로	색종이	아코디언
폼롤러	리코더	하모니카	크레파스	멜로디언
훌라우프	가위	평행봉	탬버린	색연필
라켓	붓	아령	스케치북	플룻

악기	운동기구	미술도구

자기평가

1. 과제의 난이도가 어떠하였나요? (○) 표시해주세요.

2. 과제를 수행하는 데, 병 전/후 차이가 있으신가요? (○) 표시해주세요.

차이가 없음 | 차이가 큼

0% 25% 50% 75% 100%

3. 과제를 하면서 어려운 점이 있으셨나요?

4. 어려운 점이 있다면, 어떤 노력을 해야 할까요?

추억의 노랫말

노래 가사를 기억하는 것은
기억력 훈련에 도움이 될 수 있습니다.

노래 제목: 민들레 홀씨 되어

(작사,작곡: 김정신)

달빛 부서지는 강둑에 홀로 앉아 있네

소리 없이 흐르는 저 강물을 바라보며 음

가슴을 에이며 밀려오는 그리움 그리움

우리는 들길에 홀로 핀 이름 모를 꽃을 보면서

외로운 맘을 나누며 손에 손을 잡고 걸었지

(1) 노래 가사 중 가장 마음에 드는 노랫말을 적어주세요.

(2) 그 노랫말을 선택한 이유와 노랫말에 대한 느낌을 표현해 보세요.

13일차

1. 오늘 날짜를 적어보세요.

년 월 일 요일

2. 어제의 식사 메뉴를 적어보세요.

아침 -

점심 -

저녁 -

3. 어제 보았던 텔레비전 프로그램 이름과 내용을 적어보세요.

직업 인식하기

다음 그림에 해당하는 직업을 적어보세요.

직업 인식하기

다음 그림에 해당하는 직업을 적어보세요.

직업 인식하기

다음 물건을 사용하는 직업을 <보기>에서 찾아 적어보세요.

보기

의사	교사	농부
소방관	경찰관	미용사

❶ 경운기, 낫, 허수아비: ______________

❷ 방화복, 소화전, 손전등: ______________

❸ 학교, 분필, 교탁: ______________

❹ 빗, 드라이어, 가위 : ______________

❺ 무전기, 수갑, 권총: ______________

❻ 주사, 흰 가운, 청진기: ______________

직업 인식하기

다음 설명에 해당하는 직업을 <보기>에서 찾아 적어보세요.

보기

요리사	간호사	변호사
우체부	가수	교사

1. 우편물을 배달하는 사람: ______________
2. 노래를 부르는 사람: ______________
3. 식당에서 음식을 만드는 사람: ______________
4. 의사의 진료를 돕고 환자를 돌보는 사람: ______________
5. 법률에 관한 업무에 종사하는 사람: ______________
6. 학교에서 학생을 가르치는 사람: ______________

집중력

숫자 거꾸로 말하기

불러주는 숫자를 주의깊게 듣고,
거꾸로 말해보세요.

예시

1 2 3 ➡ 3 2 1

(다음의 숫자는 가린 상태에서 적당한 목소리와 간격으로 불러 줍니다.)

구분	숫자
숫자 4개	3287
	1092
	7351
	5426
	8935

구분	숫자
숫자 5개	23154
	59236
	70341
	14638
	43892

단어 거꾸로 말하기

불러주는 단어를 주의깊게 듣고,
거꾸로 말해보세요.

예시

놀이터 ➡ 터이놀

(다음의 단어는 가린 상태에서 적당한 목소리와 간격으로 불러 줍니다.)

5 글자	고속터미널
	올림픽공원
	대전엑스포
	제주흑돼지
	분당서울대
	천도복숭아
	용머리해안
	순천만습지
	재활치료실
	알콜소독제

집중력

숫자를 기호로 바꾸기

 <보기>를 보고 각각의 숫자에 해당하는 기호를 그려보세요.

보기

1	2	3	4	5	6	7	8
→	±	□	⊆	⊙	↓	⊃	▽

247-5861	
142-1327	
518-4264	
825-3671	
613-5842	

그림 기억하기

아래의 그림을 충분한 시간을 갖고 기억해보세요.

다 외웠으면, 다음 장의 미로찾기를 합니다.

미로찾기

기억한 그림의 이름을 미로찾기를 한 후 다음 장에 적어보세요.

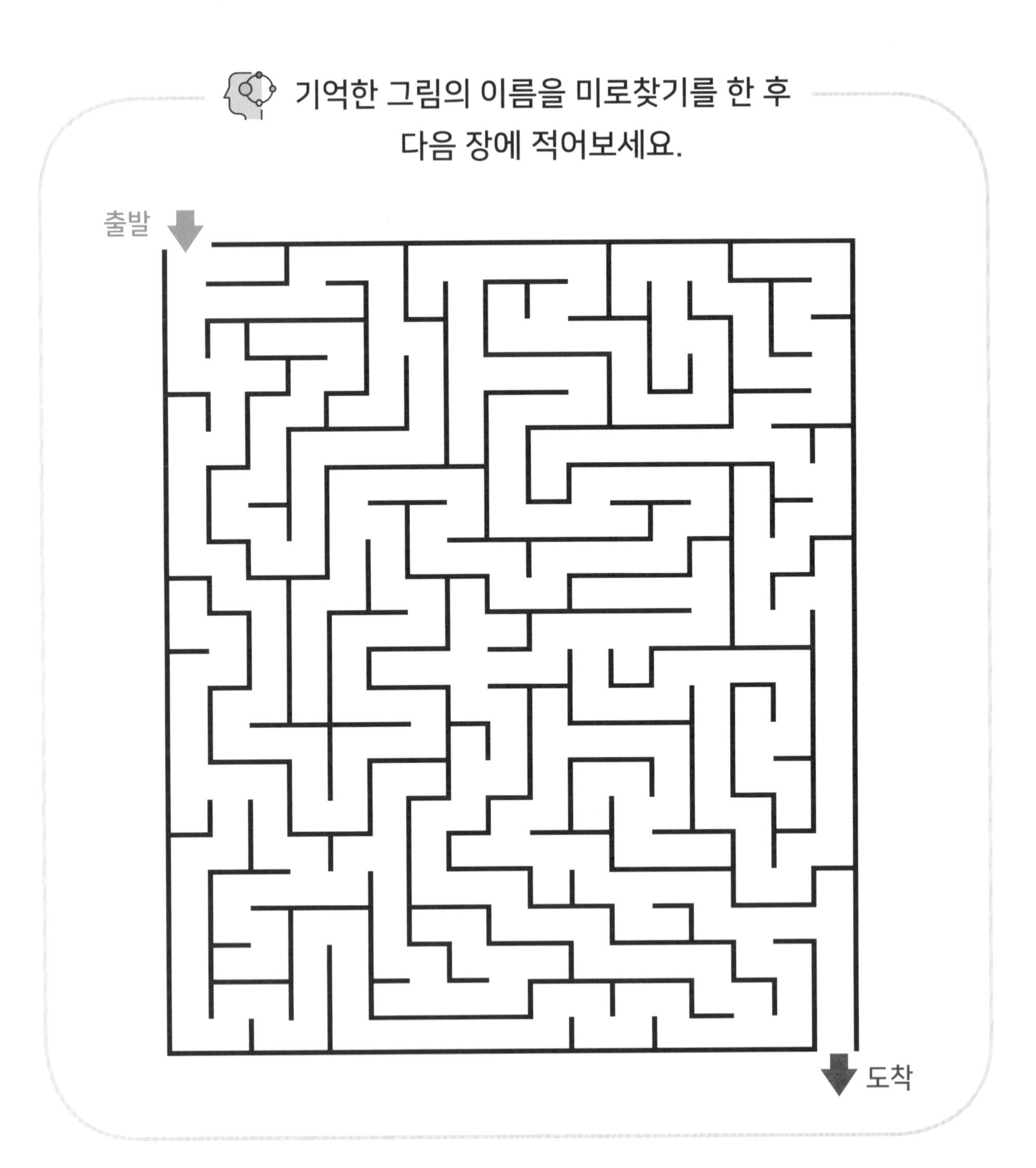

그림 기억하기

앞장에서 기억한 그림의 이름을 모두 적어보세요.

1

2

3

4

5

6

7

단어 기억하기

이야기를 상상하며 굵은 글자의 단어를
기억한 후 종이로 가린 상태에서 적어보세요.

1 허둥지둥 **도망**치다 **우유**를 쏟고, **버터**를 엎지르고, **밀가루** 통을 쓰러뜨렸어요.

2 **집**으로 돌아온 **개구리**는 **볼**에 팽팽하게 **바람**을 넣고 **가족**들에게 말했어요.

단어 기억하기

앞장에서 기억한 단어를 가로, 세로, 대각선으로 조합하여 찾아보세요.

우	파	준	맨	개	라	미	식
유	무	속	루	구	람	크	직
보	욱	지	견	리	의	레	펭
빵	솥	바	람	세	건	버	리
밀	길	투	루	논	필	터	헌
로	가	나	수	림	기	이	빨
억	조	루	좋	가	족	피	기

예시: 가족

정답 우유, 밀가루, 바람, 버터, 개구리

가격 기억하기

 다음의 가격을 기억해보세요.

아령	5,300원
축구공	16,500원
짐볼	28,500원
요가매트	54,000원

위의 내용을 종이로 가린 상태에서 가격을 적어보세요.

아령 -

축구공 -

짐볼 -

요가매트 -

다음 품목의 가격을 보고 아래 문제에 답해 보세요.

품목	가격
줄넘기	7,500원
아령	5,300원
배드민턴 라켓	38,000원
짐볼	28,500원
폼롤러	32,000원
요가매트	54,000원
축구공	16,500원
훌라우프	17,000원

질문 1 줄넘기와 짐볼을 구매한 가격은 얼마인가요?

질문 2 폼롤러와 요가매트를 구매한 가격은 얼마인가요?

질문 3 축구공 2개, 훌라우프 2개를 구매한 가격은 얼마인가요?

실행기능

분류하기

다음의 목록을 아래와 같은 기준으로 분류해보세요.

탁구공	벨트	가디건	자전거	넥타이
청바지	원피스	블라우스	가죽장갑	인라인 스케이트
오리털점퍼	축구공	지갑	조끼	스카프
시계	테니스라켓	양말	훌라우프	티셔츠

의류	잡화류	스포츠용품

자기평가

1. 과제의 난이도가 어떠하였나요? (O) 표시해주세요.

쉬움					어려움
0	1	2	3	4	5

2. 과제를 수행하는 데, 병 전/후 차이가 있으신가요? (O) 표시해주세요.

차이가 없음				차이가 큼
0%	25%	50%	75%	100%

3. 과제를 하면서 어려운 점이 있으셨나요?

4. 어려운 점이 있다면, 어떤 노력을 해야 할까요?

추억의 노랫말

\# 노래 가사를 기억하는 것은
기억력 훈련에 도움이 될 수 있습니다.

노래 제목: 걱정 말아요 그대

(작사, 작곡: 전인권)

그대여 아무 걱정하지 말아요 우리 함께 노래합시다
그대 아픈 기억들 모두 그대여 그대 가슴에 깊이 묻어버리고
지나간 것은 지나간 대로 그런 의미가 있죠
떠난 이에게 노래하세요 후회없이 사랑했노라 말해요

(1) 노래 가사 중 가장 마음에 드는 노랫말을 적어주세요.

(2) 그 노랫말을 선택한 이유와 노랫말에 대한 느낌을 표현해 보세요.

14 일차

1. 오늘 날짜를 적어보세요.

년 월 일 요일

2. 어제의 식사 메뉴를 적어보세요.

아침 -

점심 -

저녁 -

3. 어제 보았던 텔레비전 프로그램 이름과 내용을 적어보세요.

지남력

복장, 외모 묘사를 통한 사람 인식하기

 왼쪽의 그림을 보고 복장, 외모 등을 구체적으로 적어보세요.

복장, 외모 묘사를 통한 사람 인식하기

왼쪽의 그림을 보고 복장, 외모 등을 구체적으로 적어보세요.

23

집중력

숫자 거꾸로 말하기

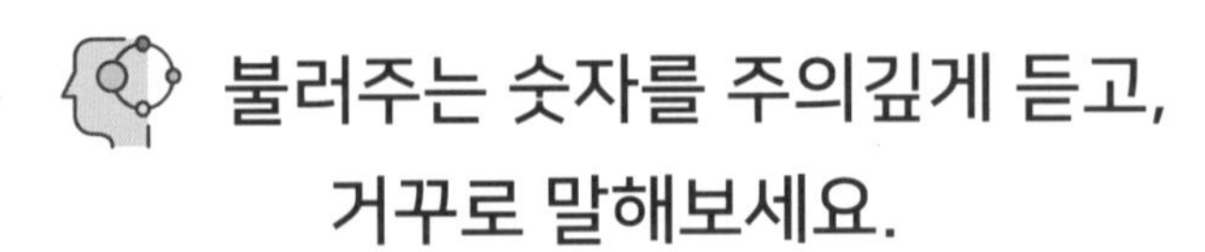

불러주는 숫자를 주의깊게 듣고,
거꾸로 말해보세요.

예시

1 2 3 ➡ 3 2 1

(다음의 숫자는 가린 상태에서 적당한 목소리와 간격으로 불러 줍니다.)

숫자 6개	
	326145
	235716
	513248
	730495
	124875
	345198
	438761
	631547
	986451
	831547

단어 거꾸로 말하기

불러주는 단어를 주의깊게 듣고,
거꾸로 말해보세요.

예시

놀이터 ➡ 터이놀

(다음의 단어는 가린 상태에서 적당한 목소리와 간격으로 불러 줍니다.)

5 글자	김치왕만두
	옛날짜장면
	민물매운탕
	여수밤바다
	춘천닭갈비
	교장선생님
	다이아몬드
	베스트셀러
	한국현대사
	아이스커피

글자를 기호로 바꾸기

<보기>를 보고 각각의 글자에 해당하는 기호를 그려보세요.

보기

도	레	미	파	솔	라	시
@	∞	$	#	∀	⊙	%

● 일정한 방향을 정하여 순서대로 하세요. (예 : 왼쪽에서 오른쪽, 위에서 아래쪽)

솔	미	라	시	미
∀	$			
도	시	미	레	파
미	솔	도	라	도
솔	레	파	미	시

그림 기억하기

아래의 그림을 충분한 시간을 갖고 기억해보세요.

다 외웠으면, 다음 장의 미로찾기를 합니다.

미로찾기

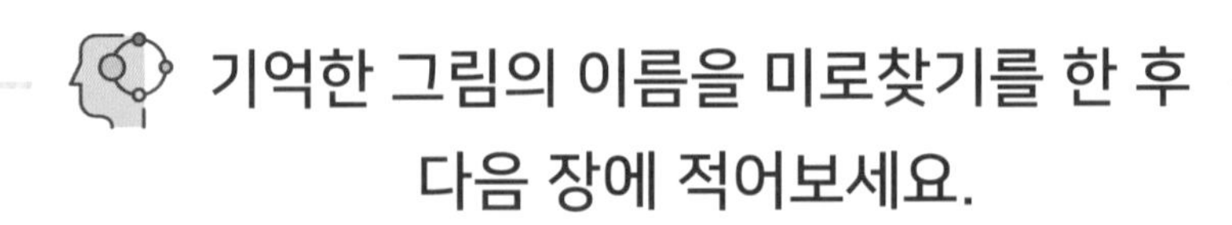

기억한 그림의 이름을 미로찾기를 한 후
다음 장에 적어보세요.

그림 기억하기

 앞장에서 기억한 그림의 이름을 모두 적어보세요.

1

2

3

4

5

6

7

단어 기억하기

이야기를 상상하며 굵은 글자의 단어를 기억한 후 종이로 가린 상태에서 적어보세요.

1 **생쥐**는 뾰족한 **이빨**로 **그물**을 갉아서 **사자**를 풀어 주었어요.

2 당나귀는 **북**을 두드리고, 사냥개는 **기타**를 치고, 고양이는 **바이올린**을 연주하고, 수탉은 **노래**를 부르며 **행복**하게 살았답니다.

단어 기억하기

 앞장에서 기억한 단어를 가로, 세로, 대각선으로 조합하여 찾아보세요.

억	할	력	기	단	리	샌	엘
종	부	바	환	억	대	사	자
해	실	이	곡	예	방	노	종
작	앙	올	부	텔	래	야	나
기	장	린	습	옷	견	롱	그 (예시)
레	타	한	수	행	복	잠	물
의	채	역	작	면	비	너	걸

정답 바이올린, 사자, 기타, 노래, 행복

가격 기억하기

 다음의 가격을 기억해보세요.

믹서기	33,000원
전기주전자	55,000원
전자레인지	79,000원
카세트	99,000원

위의 내용을 종이로 가린 상태에서 가격을 적어보세요.

믹서기 -

전기주전자 -

전자레인지 -

카세트 -

계산하기

다음 품목의 가격을 보고 아래 문제에 답해 보세요.

품목	가격
에어프라이어	94,800원
전기주전자	55,000원
마사지기	22,800원
믹서기	33,000원
전자레인지	79,000원
드라이어	29,900원
스팀다리미	25,000원
카세트	99,000원

질문 1 전기주전자와 스팀다리미를 구매하는 가격은 얼마인가요?

질문 2 에어프라이어, 드라이어, 카세트를 구매하는 가격은 얼마인가요?

질문 3 부엌에 필요한 물품을 모두 고르세요. 구매가격의 총합은 얼마인가요?

실행기능

분류하기

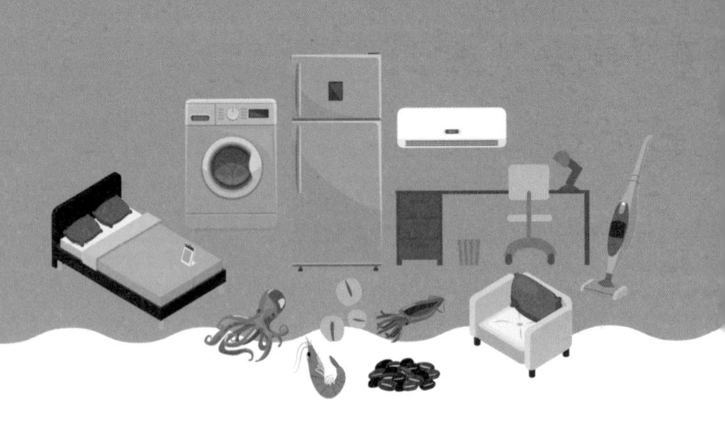

다음의 목록을 기준을 정해 분류하고, 그 기준의 이름을 적어보세요.

책상	건조기	오징어	냉장고	식탁
율무	새우	청소기	고등어	현미
갈치	침대	팥	세탁기	소파
에어컨	보리	낙지	의자	찹쌀

자기평가

1. 과제의 난이도가 어떠하였나요? (O) 표시해주세요.

쉬움					어려움
0	1	2	3	4	5

2. 과제를 수행하는 데, 병 전/후 차이가 있으신가요? (O) 표시해주세요.

차이가 없음				차이가 큼
0%	25%	50%	75%	100%

3. 과제를 하면서 어려운 점이 있으셨나요?

4. 어려운 점이 있다면, 어떤 노력을 해야 할까요?

추억의 노랫말

노래 가사를 기억하는 것은
기억력 훈련에 도움이 될 수 있습니다.

노래 제목: 나 항상 그대를

(작사: 김민정, 작곡: 송시현)

나 항상 그대를 보고파 하는데 맘처럼 가까울 수 없어

오늘도 빛바랜 낡은 사진 속에 그대 모습 그리워하네

나 항상 그대를 그리워하는데 그대는 어디로 떠났나

다정한 그 모습 눈물로 여울져 그대여 내게 돌아와요

(1) 노래 가사 중 가장 마음에 드는 노랫말을 적어주세요.

(2) 그 노랫말을 선택한 이유와 노랫말에 대한 느낌을 표현해 보세요.

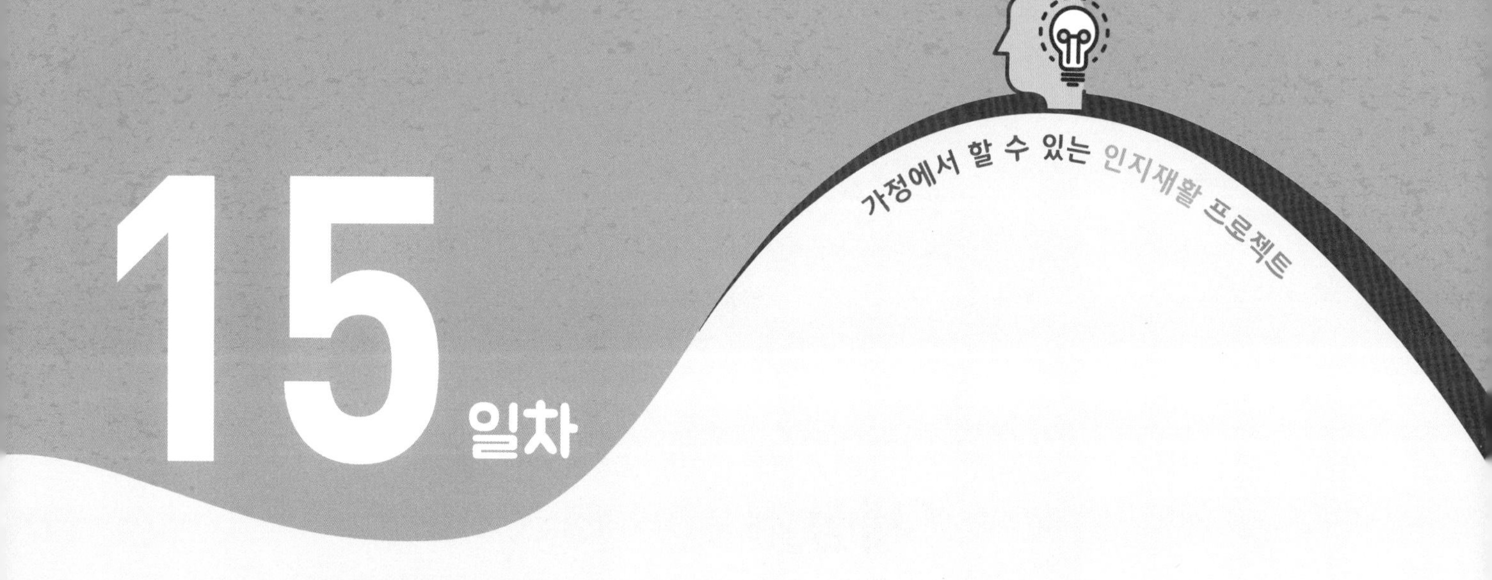

1. 오늘 날짜를 적어보세요.

년 월 일 요일

2. 내일 해야 할 일들을 아래 표에 적어보세요.

시간	해야할 일

3. '나' 자신을 위한 응원의 메시지를 적어주세요.

(예 : 나는 날마다 좋아지고 있다. 파이팅!)

단어 찾기

다음의 시를 소리내어 읽으며
『**세상**』에 동그라미를 해보세요.

세상에 와 그대를 만난 건
내게 얼마나 행운이었나
그대 생각 내게 머물므로
나의 세상은 빛나는 세상이 됩니다
많고 많은 사람 중에 그대 한 사람
이제는 내 가슴에 별이 된 사람
그대 생각 내게 머물므로
나의 세상은 따뜻한 세상이 됩니다.

나태주, 〈들길을 걸으며〉

글자 연결하기

다음 문장을 소리내어 읽고 각 글자를 찾아 연결해보세요.

흙에서 자란 내 마음 파란 하늘빛

파

란

자

하

흙

에

내

마

서

란

늘

음

빛

정지용, 〈향수〉

숫자 쓰기

 1부터 100까지 빈 칸에 차례대로 적어보세요.

음식재료 위치 기억하기

 '잔치국수'를 만드는 데 필요한 재료의 위치를 기억해보세요.

멸치다시마육수	당근
	양파
	애호박
	표고버섯
소면	청양고추, 홍고추

위의 내용을 종이로 가린 상태에서 아래에 적어보세요.

실행기능

날씨 정보 파악하기

다음의 글을 잘 읽고, 질문에 알맞은 답을 적어보세요.

내일 영하권 추위가 찾아옵니다.

서울 등 전국 대부분 지역에 한파주의보가 내려진 가운데, 내일 대관령 -11도, 서울과 대전 -5도, 광주 -3도까지 뚝 떨어지겠습니다.

내일 전국 하늘 구름만 간간이 지나겠고, 울릉도와 독도는 오후까지 1~5cm의 눈이 내려 쌓이겠습니다.

아침 기온 보겠습니다. 서울 -5도, 대구 -2도, 울산 0도까지 떨어지겠고요. 낮에도 찬 바람이 불며 춥겠습니다. 주 중반 이후부터 추위는 누그러지겠고, 주 후반 남부 지방과 제주도에는 단비가 내리겠습니다.

질문 1 내일 대관령의 기온은?

질문 2 내일 오후 눈이 예상되는 지역은?

질문 3 주 후반 단비가 예상되는 지역은?

일반적인 정보 알아보기

다음의 글을 잘 읽고, 질문에 알맞은 답을 적어보세요.

한국관광공사는 매월 계절과 시기에 맞는 걷기여행길을 선정해 추천하고 있다. 이번 5월 추천 걷기여행길은 △강화나들길 19코스 석모도 상주해안길(인천 강화군) △평택호관광지 수변테크 사색의 길(경기 평택시) 등 5곳이다.

걷기여행길은 일반 여행객도 많이 찾는 곳이니, 반려견을 동반할 때에는 목줄과 배변봉투를 준비하는 에티켓이 필수다. 또 먹거리와 물을 별도로 챙기는 것이 좋겠다.

이뉴스투데이(http://www.enewstoday.co.kr)

질문 1 매월 계절과 시기에 맞는 걷기여행길을 선정해 추천하는 곳은?

질문 2 반려견을 동반할 때에 에티켓은?

질문 3 평택호관광지 수변테크의 길 이름은?

짧은 문장 만들기

다음의 단어가 포함되도록 문장을 만들어보세요.

꽃밭　모종삽　물뿌리개　씨앗

비　개미　외출　무지개

청소　마을　쓰레기　분리수거

하루 일과 정리하기

오늘 한 일을 떠올리며 활동 내용과 그 때 느낀 감정을 적어보세요.

시간	활동 내용	감정
기상 후		
오전 7~12시경		
오후 1~5시경		
오후 6~9시경		
취침 전		

일기쓰기

앞에서 정리한 일과표를 바탕으로 일기를 적어보세요.

년 월 일 요일

오늘의 날씨

□ 맑은	□ 비 오는	□ 따뜻한
□ 소나기	□ 쌀쌀한	□ 추운
□ 구름이 낀	□ 바람 부는	□ 눈이 오는

17 일차

1. 오늘 날짜를 적어보세요.

년 월 일 요일

2. 내일 해야 할 일들을 아래 표에 적어보세요.

시간	해야할 일

3. '나' 자신을 위한 응원의 메시지를 적어주세요.
(예 : 나는 날마다 좋아지고 있다. 파이팅!)

단어 찾기

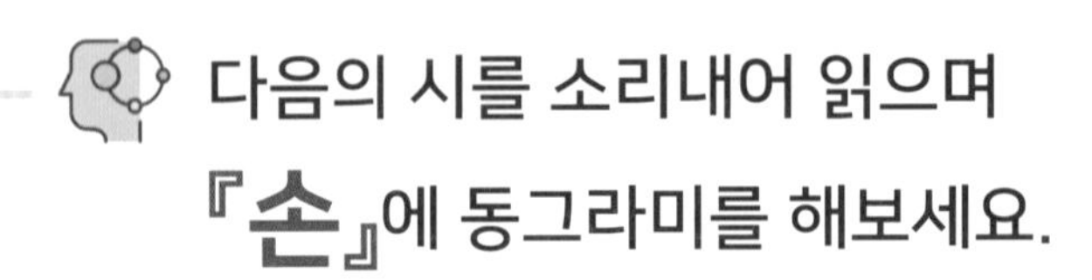

다음의 시를 소리내어 읽으며
『손』에 동그라미를 해보세요.

사랑하는 순간마다 나의 손은
날마다 새롭게 길이 된다
누군가를 포근하게 안아줄 때
기도의 순간마다 마음 다해 두 손 모을 때
사랑하는 이를 위하여 음식을 만들 때
편지를 쓸 때 나의 손에는 강물이 흐른다
살아온 모든 시간을
지나온 세월을 다 기억하고 있는
나의 손 고마운 손

이해인, 〈나의 손은〉

글자 연결하기

다음 문장을 소리내어 읽고 각 글자를 찾아 연결해보세요.

날마다 새로우며 깊어지고 넓어진다

진
우
날
로
어
다
넓
고
며
마
새
지
다
깊
어

정채봉, 〈첫 마음〉

숫자 쓰기

 100부터 1까지 빈칸에 차례대로 적어보세요.

번호 누르기

가족의 전화번호를 적고,
아래의 '숫자판'에 번호를 눌러보세요.

①

②

③

④

1	2	3
4	5	6
7	8	9
*	0	#

일정 기억하기

다음의 일정을 기억해보세요.

나는 오후 1시에 결혼식을 갔다가
저녁 7시에 희망 콘서트에 갈 예정입니다.

위의 내용을 종이로 가린 상태에서 아래에 적어보세요.

일정 안내문 기억하기

다음의 일정 안내문을 기억해보세요.

일　　시 : 2022년 10월 20일

내　　용 : 풍등 행사

전화번호 : 02-302-0351

위의 내용을 종이로 가린 상태에서 아래에 적어보세요.

일　　시 :

내　　용 :

전화번호 :

음식재료 기억하기

 '미역국'을 만드는 데 필요한 재료를 기억해보세요.

소고기 앞다리살 200g
마른미역 20g
물 7컵
소금
참기름
국간장
멸치액젓
다진마늘

위의 내용을 종이로 가린 상태에서 아래에 적어보세요.

음식재료 위치 기억하기

 '미역국'을 만드는 데 필요한 재료의 위치를 기억해보세요.

<table>
<tr><td>마른미역</td><td colspan="2">물</td><td colspan="2">다진마늘</td></tr>
<tr><td>소고기
앞다리살</td><td rowspan="2">참기름</td><td rowspan="2" colspan="2">국간장</td><td rowspan="2">멸치액젓</td></tr>
<tr><td>소금</td></tr>
</table>

위의 내용을 종이로 가린 상태에서 아래에 적어보세요.

<table>
<tr><td></td><td colspan="2"></td><td colspan="2"></td></tr>
<tr><td></td><td rowspan="2"></td><td rowspan="2" colspan="2"></td><td rowspan="2"></td></tr>
<tr><td></td></tr>
</table>

실행기능

날씨 정보 파악하기

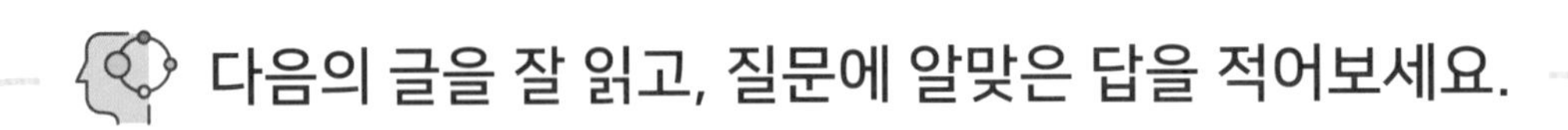

다음의 글을 잘 읽고, 질문에 알맞은 답을 적어보세요.

포근한 봄 햇살이 내리쬐며 낮 기온이 껑충 올랐습니다.
현재 서울 기온 11.3도까지 오르며 예년 기온을 3도나 웃돌고 있는데요, 다만 환절기인 만큼 일교차가 크게 벌어지고 있어, 옷차림과 건강관리에는 계속해서 신경 써주셔야겠습니다.
또 오늘은 대기상황도 좋지 못해 호흡기 관리에도 주의가 필요합니다. 현재 경기와 충청, 전북과 대구 등 서쪽 대부분 지역의 초미세먼지 농도가 '나쁨' 수준을 보이고 있습니다. 나오실 때는 초미세먼지 차단이 가능한 KF80 이상 마스크를 착용하시기 바랍니다.

질문 1 현재 서울 기온은?

질문 2 현재 경기지역의 초미세먼지 농도는?

질문 3 호흡기 관리를 위해 권고하고 있는 내용은?

일반적인 정보 알아보기

다음의 글을 잘 읽고, 질문에 알맞은 답을 적어보세요.

천안시농업기술센터가 집에 사용하지 않고 방치된 빈 화분을 활용해 반려식물을 심어보는 '찾아가는 생활원예 교실'을 추진하고 있는 가운데 지난 22일과 23일 74명을 대상으로 교육을 마쳤다.

가정 실내공기의 주된 오염물질은 포름알데히드, BTX(benzene,toluene,xylene) 등의 300~400여가지의 휘발성유기화합물(VOC)인데 포름알데히드는 식물의 잎에 흡수되고 휘발성유기화합물(VOC)는 식물의 뿌리 미생물에 의해 분해가 가능하다. 이에 반려식물이 최근 큰 인기를 끌고 있다.

국제뉴스(http://www.gukjenews.com)

질문 1 '찾아가는 생활원예 교실'을 진행하고 있는 기관은?

질문 2 교육에 참여한 인원은?

질문 3 반려 식물이 최근 큰 인기를 끌고 있는 이유는?

짧은 문장 만들기

다음의 단어가 포함되도록 문장을 만들어보세요.

토요일 울릉도 마라톤 안개

➡

후라이팬 소금 식용유 계란

➡

약속 고속도로 공사 교통

➡

하루 일과 정리하기

오늘 한 일을 떠올리며 활동 내용과 그 때 느낀 감정을 적어보세요.

시간	활동 내용	감정
기상 후		
오전 7~12시경		
오후 1~5시경		
오후 6~9시경		
취침 전		

실행기능

일기쓰기

앞에서 정리한 일과표를 바탕으로 일기를 적어보세요.

년 월 일 요일

오늘의 날씨

☐ 맑은	☐ 비 오는	☐ 따뜻한
☐ 소나기	☐ 쌀쌀한	☐ 추운
☐ 구름이 낀	☐ 바람 부는	☐ 눈이 오는

1. 오늘 날짜를 적어보세요.

년 월 일 요일

2. 내일 해야 할 일들을 아래 표에 적어보세요.

시간	해야할 일

3. '나' 자신을 위한 응원의 메시지를 적어주세요.
(예 : 나는 날마다 좋아지고 있다. 파이팅!)

집중력

단어 찾기

다음의 시를 소리내어 읽으며
『**희망**』에 동그라미를 해보세요.

나는 희망이 없는 희망을 거절한다
희망에는 희망이 없다
희망은 기쁨보다 분노에 가깝다
나는 절망을 통하여 희망을 가졌을 뿐
희망을 통하여 희망을 가져본 적 없다
나는 절망이 없는 희망을 거절한다
희망은 절망이 있기 때문에 희망이다
희망만 있는 희망은 희망이 없다
희망은 희망의 손을 먼저 잡는 것보다
절망의 손을 먼저 잡는 것이 중요하다
희망에는 절망이 있다

정호승, 〈나는 희망을 거절한다〉

글자 연결하기

다음 문장을 소리내어 읽고 각 글자를 찾아 연결해보세요.

꽃초롱 불 밝히듯 눈을 밝힐까

밝

듯

힐

히

눈

불

초

까

을

밝

꽃

롱

박정만, 〈작은 연가〉

숫자 쓰기

100부터 1까지의 숫자판입니다. 빈칸에 알맞은 숫자를 적어 넣으세요.

100	99					94			91
	89						83		
					75				
70		68							
						54			
				46					
40							33	32	
			27	26					
20								12	11
	9			6	5		3		

번호 누르기

친척의 전화번호를 적고,
아래의 '숫자판'에 번호를 눌러보세요.

①

②

③

④

1	2	3
4	5	6
7	8	9
*	0	#

기억력

일정 기억하기

 다음의 일정을 기억해보세요.

나는 오늘 오후 5시에 충무로에서 영화를 보고 내일 생일인 동생을 위해 케이크를 사서 집에 갈 것입니다.

위의 내용을 종이로 가린 상태에서 아래에 적어보세요.

일정 안내문 기억하기

다음의 일정 안내문을 기억해보세요.

일시 : 2022년 9월 29일 ~10월 3일

장소 : 안성맞춤랜드

내용 : 민속 공연, 퍼레이드

위의 내용을 종이로 가린 상태에서 아래에 적어보세요.

일시 :

장소 :

내용 :

기억력

음식재료 기억하기

'콩나물 무침'을 만드는 데 필요한 재료를 기억해보세요.

콩나물 1봉지	소금
고춧가루	참기름
다진 대파 1/2대	통깨
다진 마늘	

위의 내용을 종이로 가린 상태에서 아래에 적어보세요.

음식재료 위치 기억하기

'콩나물 무침'을 만드는 데 필요한 재료의 위치를 기억해보세요.

<table>
<tr><td>통깨</td><td>고춧가루</td><td rowspan="3">콩나물</td><td rowspan="3">다진 대파</td></tr>
<tr><td colspan="2">다진 마늘</td></tr>
<tr><td>소금</td><td>참기름</td></tr>
</table>

위의 내용을 종이로 가린 상태에서 아래에 적어보세요.

<table>
<tr><td></td><td></td><td rowspan="3"></td><td rowspan="3"></td></tr>
<tr><td colspan="2"></td></tr>
<tr><td></td><td></td></tr>
</table>

실행기능

날씨 정보 파악하기

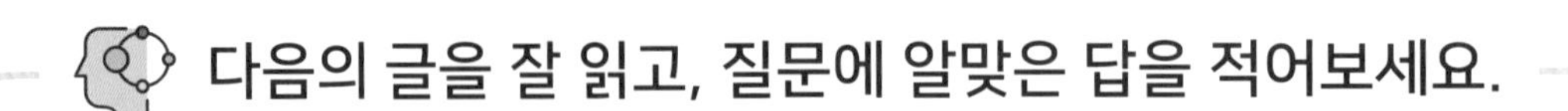

광주와 전남 서부권에 1~5cm, 전남 동부권에는 1cm 안팎의 눈을 더 뿌릴 것으로 보입니다.

눈이 많이 내리면서 사고가 잦았는데요. 특히 차량이 연쇄 추돌 하거나 도로 밑으로 추락하는 사고가 잇따랐습니다. 광주광역시는 시내버스 19개 노선을 단축하거나 우회해서 운영하고 있습니다.

눈도 많이 내린 데다 영하권 날씨가 이어지면서 미끄러운 곳이 많습니다. 특히 이면도로나 주택가 골목길은 쌓인 눈이 얼어 빙판길인 경우가 많아서 주의해야 합니다.

질문 1 전남 동부권에 예상되는 추가 적설량은?

질문 2 광주광역시의 대중교통 운영 변경사항은?

질문 3 주택가 골목길에서 주의 할 사항은?

일반적인 정보 알아보기

다음의 글을 잘 읽고, 질문에 알맞은 답을 적어보세요.

저렴한 가격과 푸짐한 양으로 식탁을 풍요롭게 하는 콩나물을 건강하게 먹는 방법이 있다. 먼저 콩나물무침이나 국을 끓일 때 고춧가루를 넣는 것이다. 콩나물과 고춧가루가 만나면 고춧가루의 캡사이신 성분이 콩나물의 비타민C 흡수율을 높여 체내 혈액순환 개선 및 혈관 노화를 억제하는 데 도움이 된다. 반면 콩나물무침에 당근과 설탕을 넣으면 설탕의 포도당과 당근의 아스코르비나아제 성분이 비타민C 흡수를 방해해 혈관 건강에 이롭지 않다.

콩나물을 삶을 땐 끓는 물에 소금을 넣고 1분 이내로 짧게 삶은 후 찬물에 헹궈줘야 콩나물 조직이 응집해 아삭한 식감을 살리는 것은 물론 영양소 파괴를 최소화할 수 있다.

매경헬스(http://www.mkhealth.co.kr)

실행기능

일반적인 정보 알아보기

질문 1 콩나물을 건강하게 먹기 위해 넣는 것으로 추천되는 양념은?

질문 2 캡사이신 성분이 흡수율을 높여주는 영양소는?

질문 3 콩나물과 함께 요리할 때 이롭지 않은 채소와 양념은?

질문 4 콩나물을 삶을 때 끓는 물에 함께 넣는 양념은?

질문 5 콩나물의 아삭한 식감을 위하여 삶은 후 해야 할 과정은?

짧은 문장 만들기

다음의 단어가 포함되도록 문장을 만들어 보세요.

뉴스 책 습관 인터넷

➡

마트 쭈꾸미 할인 시식

➡

태풍 무더위 비구름 기온

➡

실행기능

하루 일과 정리하기

오늘 한 일을 떠올리며 활동 내용과 그 때 느낀 감정을 적어보세요.

시간	활동 내용	감정
기상 후		
오전 7~12시경		
오후 1~5시경		
오후 6~9시경		
취침 전		

일기쓰기

앞에서 정리한 일과표를 바탕으로 일기를 적어보세요.

년 월 일 요일

오늘의 날씨

☐ 맑은	☐ 비 오는	☐ 따뜻한
☐ 소나기	☐ 쌀쌀한	☐ 추운
☐ 구름이 낀	☐ 바람 부는	☐ 눈이 오는

추억의 노랫말

노래 가사를 기억하는 것은
기억력 훈련에 도움이 될 수 있습니다.

노래 제목: **10월의 어느 멋진 날에**

(작사: 한경혜, 작곡: Rolf Loveland)

눈을 뜨기 힘든 가을보다 높은 저 하늘이 기분 좋아

휴일 아침이면 나를 깨운 전화 오늘은 어디서 무얼 할까

창밖에 앉은 바람 한점에도 사랑은 가득한 걸

널 만난 세상 더는 소원 없어 바램은 죄가 될 테니까

(1) 노래 가사 중 가장 마음에 드는 노랫말을 적어주세요.

(2) 그 노랫말을 선택한 이유와 노랫말에 대한 느낌을 표현해 보세요.

1. 오늘 날짜를 적어보세요.

년 월 일 요일

2. 내일 해야 할 일들을 아래 표에 적어보세요.

시간	해야할 일

3. '나' 자신을 위한 응원의 메시지를 적어주세요.
(예 : 나는 날마다 좋아지고 있다. 파이팅!)

집중력

단어 찾기

다음의 시를 소리내어 읽으며
『**봄**』에 동그라미를 해보세요.

솔솔 부는 봄바람같이 자꾸만 분위기를
띄워주는 사람
햇살이 쬐이는 담 밑에서 싱그럽게 돋아나는
봄나물 같은 사람
온통 노랑으로 뒤덮은 개나리같이
마음을 울렁이게 하는 사람
조용한 산을 붉게 물들인 진달래처럼
꼬-옥 또 보고 싶은 사람
어두운 달밤에도 기죽지 않고 꿋꿋이
자기를 보듬는 목련 같은 사람
봄소식들을 무수히 전해주는
봄 들녘처럼 넉넉함을 주는 싱그러운 사람

이해인, 〈봄날 같은 사람〉

글자 연결하기

다음 문장을 소리내어 읽고 각 글자를 찾아 연결해보세요.

햇살도 둥글둥글하게 뭉치는 맑은 날

도
맑
하
은
게
날
햇
살
글
뭉
둥
글
는
치
둥

문태주, 〈돌의 배〉

숫자 쓰기

 30에서 3씩 더하며 숫자를 적어보세요.

30	33	36					

번호 누르기

친구의 전화번호를 적고,
아래의 '숫자판'에 번호를 눌러보세요.

①

②

③

④

1	2	3
4	5	6
7	8	9
*	0	#

일정 기억하기

 다음의 일정을 기억해보세요.

오전 10시 30분에 채혈을 하고 오후 2시 15분과 3시에 진료를 볼 예정입니다.

위의 내용을 종이로 가린 상태에서 아래에 적어보세요.

일정 안내문 기억하기

다음의 일정 안내문을 기억해보세요.

일시 : 8월 31일 (월) / 9월 6일 (일)

장소 : 롯데 백화점

내용 : 민속 문화 강연

위의 내용을 종이로 가린 상태에서 아래에 적어보세요.

일시 :

장소 :

내용 :

음식재료 기억하기

'메추리알 장조림'을 만드는 데 필요한 재료를 기억해보세요.

메추리알 1판

꽈리고추, 통마늘 1주먹

대파 흰 부분

양조간장:국간장:설탕 = 2:2:1 비율

위의 내용을 종이로 가린 상태에서 아래에 적어보세요.

음식재료 위치 기억하기

 '메추리알 장조림'을 만드는 데 필요한 재료의 위치를 기억해보세요.

<table>
<tr><td colspan="3">메추리알</td></tr>
<tr><td colspan="3">대파</td></tr>
<tr><td>꽈리고추</td><td colspan="2">통마늘</td></tr>
<tr><td>설탕</td><td>양조간장</td><td>국간장</td></tr>
</table>

위의 내용을 종이로 가린 상태에서 아래에 적어보세요.

<table>
<tr><td colspan="3"></td></tr>
<tr><td colspan="3"></td></tr>
<tr><td></td><td colspan="2"></td></tr>
<tr><td></td><td></td><td></td></tr>
</table>

실행기능

날씨 정보 파악하기

다음의 글을 잘 읽고, 질문에 알맞은 답을 적어보세요.

오늘 충청 이남을 중심으로 비가 내리고 있습니다. 특히 제주 동부와 산간에는 호우주의보가 내려진 가운데, 시간당 10mm 안팎의 다소 강한 비가 쏟아지고 있는데요, 제주도는 오늘 밤까지 다소 굵은 빗줄기가 이어질 것으로 보여서 주의하셔야겠습니다.

앞으로 제주도와 영남 해안에 최고 40mm의 많은 비가 더 온 뒤 내일 새벽 그치겠고요, 충청 이남 내륙은 5~20mm의 비가 온 뒤 오늘 밤에 그치겠습니다.

질문 1 호우주의보가 내린 지역의 시간당 강수량은?

질문 2 충청 이남 내륙 지역의 비가 그치는 시기는?

질문 3 제주도의 오늘과 내일 날씨는?

일반적인 정보 알아보기

다음의 글을 잘 읽고, 질문에 알맞은 답을 적어보세요.

'회복탄력성'이라는 것이 있다. 자신에게 닥치는 온갖 역경과 어려움을 오히려 도약의 발판으로 삼는 힘이다. 김주환 연세대 교수는 저서 '회복탄력성-시련을 행운으로 바꾸는 유쾌한 비밀'에서 회복탄력성을 마음의 근력에 비유했다.

저자는 "몸의 근육이 몸의 면역력을 높여주듯이, 마음의 근육은 마음의 잔병치레를 막아준다"며 회복탄력성이 꼭 커다란 역경을 이겨내기 위해서만 필요한 힘이 아니라 자잘한 일상사 속에서 겪는 수많은 스트레스와 인생의 고민, 인간관계에서의 갈등을 자연스럽게 이겨내기 위해서도 필요한 힘이라고 소개했다. 회복탄력성을 높이는 두가지 습관으로 '감사하기'와 '운동하기'를 추천했다.

대전일보사 http://www.daejonilbo.com/news

실행기능

일반적인 정보 알아보기

질문 1 회복탄력성이란?

질문 2 회복탄력성을 마음의 근력에 비유한 책의 제목은?

질문 3 책의 저자는 마음의 근육이 어떤 역할을 한다고 표현했는가?

질문 4 저자가 소개한 회복탄력성이 필요한 상황은?

질문 5 회복탄력성을 높이는 습관으로 추천되는 것은?

짧은 문장 만들기

다음의 단어가 포함되도록 문장을 만들어보세요.

삼촌 장난감 새총 참새

➡

치과 양치질 동생 치료

➡

뒷산 밤송이 집게 고슴도치

➡

실행기능

하루 일과 정리하기

 오늘 한 일을 떠올리며 활동 내용과 그 때 느낀 감정을 적어보세요.

시간	활동 내용	감정
기상 후		
오전 7~12시경		
오후 1~5시경		
오후 6~9시경		
취침 전		

일기쓰기

앞에서 정리한 일과표를 바탕으로 일기를 적어보세요.

년 월 일 요일

오늘의 날씨

□ 맑은	□ 비 오는	□ 따뜻한
□ 소나기	□ 쌀쌀한	□ 추운
□ 구름이 낀	□ 바람 부는	□ 눈이 오는

추억의 노랫말

노래 가사를 기억하는 것은
기억력 훈련에 도움이 될 수 있습니다.

노래 제목: 아름다운 것들

(아티스트: 양희은)

꽃잎 끝에 달려있는 작은 이슬 방울들

빗줄기 이들을 찾아와서 음 어디로 데려갈까

바람아 너는 알고 있나 비야 네가 알고 있나

무엇이 이 숲 속에서 음 이들을 데려갈까

(1) 노래 가사 중 가장 마음에 드는 노랫말을 적어주세요.

(2) 그 노랫말을 선택한 이유와 노랫말에 대한 느낌을 표현해 보세요.

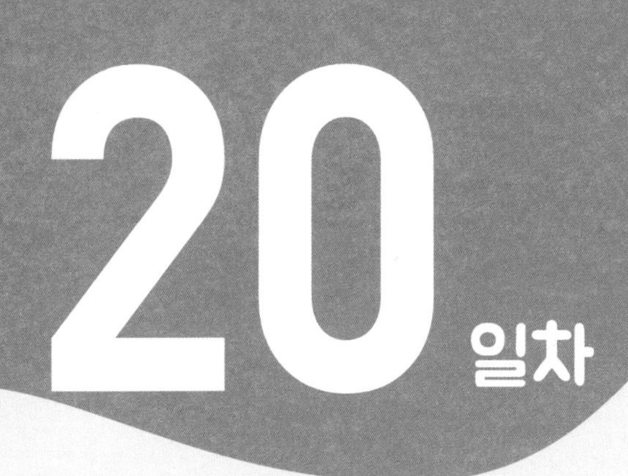

1. 오늘 날짜를 적어보세요.

년 월 일 요일

2. 내일 해야 할 일들을 아래 표에 적어보세요.

시간	해야할 일

3. '나' 자신을 위한 응원의 메시지를 적어주세요.
(예 : 나는 날마다 좋아지고 있다. 파이팅!)

단어 찾기

 다음의 시를 소리내어 읽으며
『꿈』에 동그라미를 해보세요.

산다는 것은 꿈을 꾸는 것이다. 현명하다는 것은 아름답게 꿈을 꾸는 것이다. 산다는 것은 꿈이 있다는 것이요. 꿈이 있다는 것은 희망이 있다는 것이다.

꿈을 상실한 사람은 새가 두 날개를 잃은 것과 같다.비록 힘없는 하찮은 존재라 하더라도 꿈을 가질 때얼굴은 밝아지고 생동감이 흐르며 눈에는 광채가 생기고 발걸음은 활기를 띠고 태도는 씩씩해 지는 것이다.

꿈이 있는 사람이 행복한 사람이고, 꿈꾸는 자가 인생을 멋있게 사는 사람이다. 꿈이 있는 사람이 참 인생을 아는 인생의 멋을 아는 사람이다. 꿈이 있는 사람이 인생을 사는 듯이 살고, 아름다운 발자취를 후세에 남기는 것이다.

프리드리히 실러, 〈꿈은 희망을 낳는다〉

글자 연결하기

다음 문장을 소리내어 읽고 각 글자를 찾아 연결해보세요.

큰 바다 넓은 하늘을 우리는 가졌노라

졌

넓

다

가

바

노

라

은

을

큰

늘

하

는

우

리

김영랑, 〈바다로 가자〉

숫자 쓰기

50에서 6씩 더하며 숫자를 적어보세요.

50	56	62					

번호 누르기

다음의 번호를 주의 깊게 보고,
아래의 '숫자판'에 번호를 눌러보세요.

① 1721 - 2210 - 1894

② 1109 - 7535 - 1589

③ 4405 - 1012 - 1724

1	2	3
4	5	6
7	8	9
*	0	#

일정 기억하기

 다음의 일정을 기억해보세요.

이번 주 화요일 점심시간에 은행 업무를 보고, 수요일 오전 10시에 미용실에 들른 후, 오후 1시에 증명사진 촬영을 할 예정입니다.

위의 내용을 종이로 가린 상태에서 아래에 적어보세요.

일정 안내문 기억하기

다음의 일정 안내문을 기억해보세요.

일시 : 2022년 5월 11일 수요일

장소 : 대전 식물원

내용 : 꽃심기, 축하공연

위의 내용을 종이로 가린 상태에서 아래에 적어보세요.

일시 :

장소 :

내용 :

음식재료 기억하기

 '떡볶이'을 만드는 데 필요한 재료를 기억해보세요.

떡볶이떡 400g
어묵 2장
물 400ml
고춧가루
진간장
설탕 2숟갈
고추장 1숟갈

위의 내용을 종이로 가린 상태에서 아래에 적어보세요.

음식재료 위치 기억하기

'떡볶이'를 만드는 데 필요한 재료의 위치를 기억해보세요.

<table>
<tr><td>고추장</td><td rowspan="2">물</td><td rowspan="2" colspan="2">진간장</td></tr>
<tr><td rowspan="2">고춧가루</td></tr>
<tr><td rowspan="2" colspan="2">떡볶이떡</td><td rowspan="2">어묵</td></tr>
<tr><td>설탕</td></tr>
</table>

위의 내용을 종이로 가린 상태에서 아래에 적어보세요.

<table>
<tr><td></td><td rowspan="2"></td><td rowspan="2" colspan="2"></td></tr>
<tr><td rowspan="2"></td></tr>
<tr><td rowspan="2" colspan="2"></td><td rowspan="2"></td></tr>
<tr><td></td></tr>
</table>

실행기능

날씨 정보 파악하기

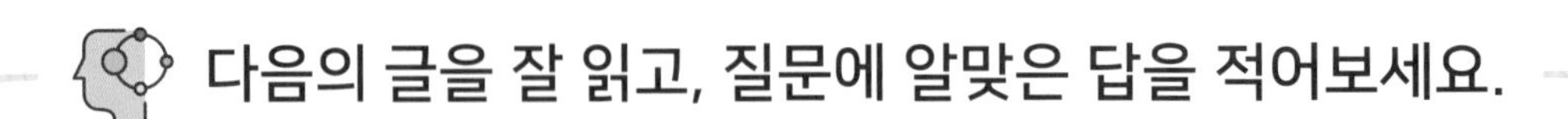

어제보단 기온은 높은 편이지만 영하권 추위가 이어지며 따뜻한 옷차림은 계속해서 잘 해주셔야겠는데요, 지금 서울의 체감온도는 영하 10도 선까지 내려가 있고요, 낮 기온도 1도에 그치며 종일 쌀쌀하겠습니다.

한편 동해안 지역은 연일 건조함이 지속되고 있습니다. 건조주의보와 함께 강한 바람까지 예상되면서 강풍 특보도 발효 중인데요, 화재사고가 발생하기 쉬운 만큼 불씨 관리 철저히 해주시기 바랍니다.

질문 1 현재 서울의 체감온도는?

질문 2 서울의 예상 낮 기온은?

질문 3 동해안 지역에서 화재사고 주의를 언급한 이유는?

일반적인 정보 알아보기

다음의 글을 잘 읽고, 질문에 알맞은 답을 적어보세요.

경기도인재개발원은 11일 오후 3시부터 인재원 대강당에서 6월 '인문학 아고라'를 연다.

6월 인문학 아고라에서는 서울대학교 심리학과 교수 겸 행복연구센터장인 최인철 교수가 강사로 나서 '행복한 삶의 조건'을 주제로 강연한다.

강좌에서 최 교수는 행복한 사람들의 생각, 행복한 사람들의 소비성향 등을 연구한 행복심리학자로, 이번 강연에선 행복의 조건들 가운데 일상 속에서 행복할 수 있는 방법을 일깨워줄 예정이다.

지난 3월부터 매월 둘째 주 수요일 열리고 있는 '인문학 아고라'는 국내 인문학 분야 지성을 강사로 초청한 인문학 공개강좌이다. 특히 관심 있는 공무원 및 도민은 누구나 참여해 들을 수 있어 큰 호응을 얻고 있다.

한편, 7월 8일 열릴 인문학 아고라에는 박시백 화백이 강사로 나서 북토크 형식의 '박시백의 조선왕조실록'을 진행할 예정이다.

경기일보 http://www.kyeonggi.com

실행기능

일반적인 정보 알아보기

질문 1 6월 인문학 아고라의 일정 및 장소는?

질문 2 6월 인문학 아고라 주제는?

질문 3 6월 인문학 아고라 강사의 소개내용은?

질문 4 인문학 아고라의 참여 대상은?

질문 5 7월 인문학 아고라의 강연 형식은?

짧은 문장 만들기

다음의 단어가 포함되도록 문장을 만들어보세요.

개미 배짱이 음식 노래

연못 개구리 돌 소년

생쥐 고양이 회의 방울

실행기능

하루 일과 정리하기

오늘 한 일을 떠올리며 활동 내용과 그 때 느낀 감정을 적어보세요.

시간	활동 내용	감정
기상 후		
오전 7~12시경		
오후 1~5시경		
오후 6~9시경		
취침 전		

일기쓰기

앞에서 정리한 일과표를 바탕으로 일기를 적어보세요.

년 월 일 요일

오늘의 날씨

☐ 맑은	☐ 비 오는	☐ 따뜻한
☐ 소나기	☐ 쌀쌀한	☐ 추운
☐ 구름이 낀	☐ 바람 부는	☐ 눈이 오는

추억의 노랫말

노래 가사를 기억하는 것은
기억력 훈련에 도움이 될 수 있습니다.

노래 제목: 장미

(아티스트: 4월과 5월)

당신에게선 꽃내음이 나네요
잠자는 나를 깨우고 가네요
싱그런 잎사귀 돋아난 가시처럼
어쩌면 당신은 장미를 닮았네요
당신의 모습이 장미꽃같아

(1) 노래 가사 중 가장 마음에 드는 노랫말을 적어주세요.

(2) 그 노랫말을 선택한 이유와 노랫말에 대한 느낌을 표현해 보세요.

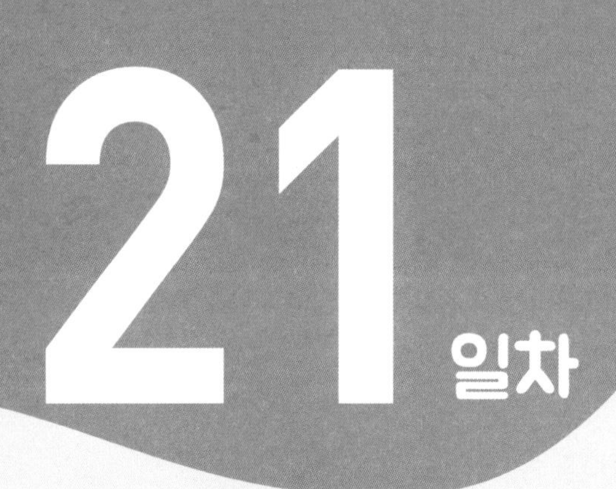

1. 오늘 날짜를 적어보세요.

년 월 일 요일

2. 내일 해야 할 일들을 아래 표에 적어보세요.

시간	해야할 일

3. '나' 자신을 위한 응원의 메시지를 적어주세요.
(예 : 나는 날마다 좋아지고 있다. 파이팅!)

단어 찾기

 다음의 시를 소리내어 읽으며
『**당신**』에 동그라미를 해보세요.

당신이 하는 일이 문제가 아니다.
당신이 하지 않고 남겨 두는 일이 문제다.
해 질 무렵
당신의 마음을 아프게 하는 일이 그것이다.
잊어버린 부드러운 말
쓰지 않은 편지
보내지 않은 꽃
밤에 당신을 따라다니는 환영들이 그것이다.

당신이 치워 줄 수도 있었던 형제의 길에 놓인 돌
너무 바빠서 해 주지 못한
힘을 북돋아 주는 몇 마디 조언
당신 자신의 문제를 걱정하느라
시간이 없었거나 미처 생각할 겨를이 없었던
사랑이 담긴 손길 마음을 어루만지는 다정한 말투.

마거릿 생스터, 〈하지 않은 죄〉

글자 연결하기

다음 문장을 소리내어 읽고 각 글자를 찾아 연결해보세요.

너무 맑고 초롱한 그 중 하나 별이여

하
너
무
초
나
그
이
맑
여
별
고
롱
중
한

박두진, 〈별밭에 누워〉

숫자 쓰기

200에서 3씩 빼며 숫자를 적어보세요.

200	197	194	191				

번호 누르기

다음의 번호를 주의 깊게 보고,
아래의 '숫자판'에 번호를 눌러보세요.

① 200 - 4375 - 9631 - 42

② 805 - 2323 - 3771 - 15

③ 714 - 8602 - 9675 - 01

1	2	3
4	5	6
7	8	9
*	0	#

일정 기억하기

다음의 일정을 기억해보세요.

오늘 오전 10시에 필라테스를 다녀와서,
저녁 6시 집들이 준비를 위하여
마트와 백화점에 다녀 올 예정입니다.

위의 내용을 종이로 가린 상태에서 아래에 적어보세요.

일정 안내문 기억하기

다음의 일정 안내문을 기억해보세요.

일　　시 : 2021년 7월 1일 목요일

장　　소 : 구미 도서관

전화번호 : 054-840-3661

위의 내용을 종이로 가린 상태에서 아래에 적어보세요.

일　　시 :

장　　소 :

전화번호 :

음식재료 기억하기

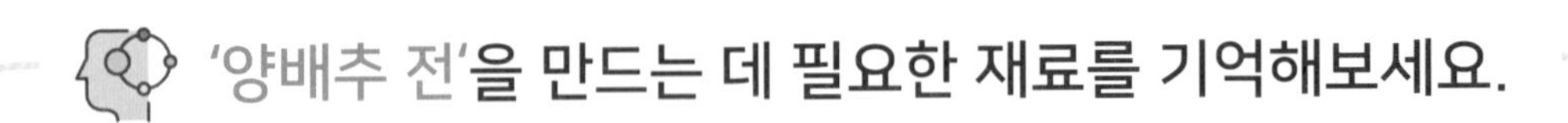

'양배추 전'을 만드는 데 필요한 재료를 기억해보세요.

채 썬 양배추 2줌
양파 1/3개
당근 1/4개
달걀 3개
소금 1/2 큰 술
식용유
후춧가루

위의 내용을 종이로 가린 상태에서 아래에 적어보세요.

음식재료 위치 기억하기

'양배추 전'을 만드는 데 필요한 재료의 위치를 기억해보세요.

<table>
<tr><td rowspan="2">당근</td><td colspan="2">달걀</td><td rowspan="3">양배추</td></tr>
<tr><td rowspan="2">식용유</td><td>소금</td></tr>
<tr><td>양파</td><td>후춧가루</td></tr>
</table>

위의 내용을 종이로 가린 상태에서 아래에 적어보세요.

<table>
<tr><td rowspan="2"></td><td colspan="2"></td><td rowspan="3"></td></tr>
<tr><td rowspan="2"></td><td></td></tr>
<tr><td></td><td></td></tr>
</table>

실행기능

날씨 정보 파악하기

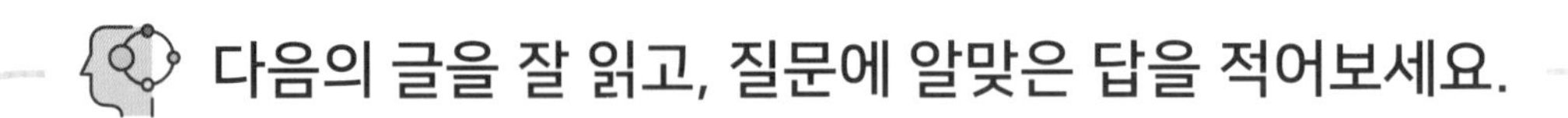

다음의 글을 잘 읽고, 질문에 알맞은 답을 적어보세요.

이번 한 주만 해도 한겨울과 초봄 날씨가 번갈아가며 나타나고 있습니다. 지금 현재 서울 기온은 영하 11.2도까지 떨어지며 어제 같은 시각과 비교해 무려 10도가량이나 낮고요. 찬바람에 체감온도는 영하 17도 선까지 내려갔습니다.

연일 날이 포근했던 터라 몸으로 느끼는 추위는 더 심한데요. 오늘은 다시 두꺼운 겨울 외투에 보온용품까지 잘 챙겨주시기 바랍니다.

또 어제에 이어 강풍도 계속해서 비상인데요.

오늘까지 내륙과 해안에 최대순간풍속 초속 20~25m 이상의 강풍이 몰아치겠습니다.

날아갈 수 있는 시설물은 단단히 고정해주시기 바랍니다.

질문 1 이번 한 주의 날씨는?

질문 2 현재 서울의 체감 온도는?

질문 3 내륙과 해안의 최대순간풍속은?

일반적인 정보 알아보기

다음의 글을 잘 읽고, 질문에 알맞은 답을 적어보세요.

세계적인 애니메이션 명가 픽사가 창립 30주년을 맞아 열다섯 번째로 내놓은 작품 '인사이드 아웃'이 관객 수 100만명을 돌파했다.

16일 영화진흥위원회 입장권 통합전산망에 따르면 '인사이드 아웃'은 전날인 15일 관객 10만504명(매출액 점유율 27.2%)을 모아 지난 9일 개봉 이후 7일 만에 누적관객 수가 102만3천56명에 이르렀다.

애니메이션이 개봉 7일 만에 관객 100만명을 돌파한 것은 2010년 개봉해 260만 관객을 모은 '드래곤 길들이기'와 같고, 지난 1월 개봉해 280만 관객을 동원한 '빅 히어로'보다는 하루 앞선 기록이다.

'인사이드 아웃'은 낯선 환경에서 힘든 시간을 보내는 사춘기 소녀에게 행복을 되찾아주려는 '기쁨', '슬픔', '버럭', '까칠', '소심' 등 다섯 캐릭터의 모험을 그렸다.

영화는 애니메이션이 주는 가벼움과 재미에 그치지 않고, 익숙하지만 한 번도 보지 못한 사고·감정의 영역을 시각적으로 형상화했다.

연합뉴스 https://www.yna.co.kr

일반적인 정보 알아보기

질문 1 16일에 확인된 '인사이드 아웃'의 누적 관객수는?

질문 2 개봉 7일만에 280만 관객을 동원한 애니메이션 제목은?

질문 3 '인사이드 아웃'을 제작한 회사는?

질문 4 '인사이드 아웃'에서 소개된 다섯 캐릭터는?

질문 5 '인사이드 아웃'의 영화가 시각적으로 형상화한 영역은?

짧은 문장 만들기

다음의 단어가 포함되도록 문장을 만들어보세요.

놀이터 진흙 미끄럼틀 그네

낙하산 햇빛 바람 자유

썰매 군고구마 털장갑 겨울

실행기능

하루 일과 정리하기

오늘 한 일을 떠올리며 활동 내용과 그 때 느낀 감정을 적어보세요.

시간	활동 내용	감정
기상 후		
오전 7~12시경		
오후 1~5시경		
오후 6~9시경		
취침 전		

일기쓰기

앞에서 정리한 일과표를 바탕으로 일기를 적어보세요.

년 월 일 요일

오늘의 날씨

□ 맑은	□ 비 오는	□ 따뜻한
□ 소나기	□ 쌀쌀한	□ 추운
□ 구름이 낀	□ 바람 부는	□ 눈이 오는

추억의 노랫말

\# 노래 가사를 기억하는 것은
기억력 훈련에 도움이 될 수 있습니다.

노래 제목: 버터플라이

(작사, 작곡: 이재학)

태양처럼 빛을 내는 그대여

이 세상이 거칠게 막아서도

빛나는 사람아

난 너를 사랑해

널 세상이 볼 수 있게 날아 저 멀리

(1) 노래 가사 중 가장 마음에 드는 노랫말을 적어주세요.

(2) 그 노랫말을 선택한 이유와 노랫말에 대한 느낌을 표현해 보세요.